SUMIDERO
ABISMO DE MORTAIS

MAURA MEI

Copyright © 2021 de Maura Mei
Todos os direitos desta edição reservados à Editora Labrador.

Coordenação editorial
Pamela Oliveira

Revisão
Denise Morgado Sagiorato

Assistência editorial
Larissa Robbi Ribeiro

Imagem de capa
PngWing

Projeto gráfico, diagramação e capa
Amanda Chagas

Ilustrações do miolo
Aramis Jr.

Preparação de texto
Marcelo Nardeli

Dados Internacionais de Catalogação na Publicação (CIP)
Angélica Ilacqua CRB-8/7057

Mei, Maura
  Sumidero : abismo de mortais / Maura Mei. – São Paulo : Labrador, 2021.
  160 p.

  ISBN 978-65-5625-193-6

  1. Ficção brasileira 2. Cultura Asteca - Ficção I. Título

21-4567   CDD B869.3

Índice para catálogo sistemático:
  1. Ficção brasileira

Editora Labrador
Diretor editorial: Daniel Pinsky
Rua Dr. José Elias, 520 — Alto da Lapa
05083-030 — São Paulo/SP
+55 (11) 3641-7446
contato@editoralabrador.com.br
www.editoralabrador.com.br
facebook.com/editoralabrador
instagram.com/editoralabrador

A reprodução de qualquer parte desta obra é ilegal e configura uma apropriação indevida dos direitos intelectuais e patrimoniais da autora.

A Editora não é responsável pelo conteúdo deste livro. Esta é uma obra de ficção. Qualquer semelhança com nomes, pessoas, fatos ou situações da vida real será mera coincidência.

PARA FABRÍCIO ANSELMO,
EM TODAS AS ESTRADAS DO CAMINHO
E PARA SEMPRE.

SUMÁRIO

Prefácio | 7

Huacán | 11

Sábios | 19

Escola Maior | 24

A Prova dos Deuses | 31

A maldição de Tenoch | 50

Vida em comum | 58

Ritual do amor e da fertilidade | 60

O sacrifício de Tuareq | 73

Cilada para Yareth | 79

Livre do cativeiro | 85

A vingança de Donaji | 93

As lições de Yareth | 101

O regresso | 108

Estratégias de Ollin | 115

O erro de Ollin | 121

A cegueira | 135

A derrocada de Tonauach | 142

O tesouro de Tonauach | 149

Dias de glória | 155

Obras e autores referenciados na história | 159

UM ROMANCE ASTECA E A LITERATURA MUNDIAL EM ANTROPOFAGIA

O contexto é a América Central pré-colombiana numa trama de inveja, traição, poder e fidelidade, que extrapola gerações. A narração é da própria deusa da morte, Finith, num relato por vezes distante, próprio de uma mera observadora atemporal que aguarda os que se vão; em outras, partícipe nas suas impressões pessoais. A epopeia é de Yareth que, submetido a graves revezes, é conduzido ao autoconhecimento, transportando nos ombros uma saga que se desnovela intrincando presente, passado e futuro, à sombra do Sumidero.

É nesse cenário que, página a página, nos deparamos de modo sutil, mas incrivelmente perceptível, com os autores Nietzsche, Dostoiévski, Sócrates, Schopenhauer, Epicuro e outros, flutuando entre os personagens, em pleno século XV, sob a égide de Montezuma. A leitura nos surpreende sempre, como quando concatena a descrição fria da crueldade ritualística de sacrifícios humanos de uma antiga tradição, resvalando em Drummond de Andrade. Implicitamente, aluindo sutilmente ao modernismo brasileiro, incita a antropofagia literária para deleite do leitor.

A autora, de maneira leve e elegante, nos conduz entre mundos até então impossíveis, costurando o clássico grego, o romantismo filosófico russo e a mitologia asteca, enquanto olhos atentos encontram, aqui e ali, ricas suturas com citações de autores mundialmente conhecidos, como um tecido ao fundo de um palco, no desenrolar de conflitos e dramas extemporâneos das personagens, numa mistura homogênea de história e fantasia.

O trânsito em campos tão díspares é traço da personalidade da escritora. Maura Mei é autora de obras que vão da literatura técnica à poesia; coloca na obra experiências pessoais, o gosto pela História e inspirações de suas viagens de forma tão singular e fotográfica que é impossível não se ver em meio aos astecas, absorvendo cada detalhe da trama. O enredo lhe foi surgindo em visitas a ruínas antigas. O tema da antropofagia, que já lhe povoava a mente, e a frequente leitura de livros clássicos inspiraram a riqueza na descrição de detalhes e construção das personagens.

Sumidero é um livro para conquistar quem espera uma leitura leve, mas excepcionalmente reflexiva, num romance de contexto datado e inesperado, recheado da grande literatura filosófica, na fronteira do imaginário, próprio à ficção, enredando dilemas e reflexões propostas por autores renomados, de forma palpável e num mundo possível.

Ninguém será mais o mesmo depois de passar por Huacán.

Professor Fabrício Anselmo

HUACÁN

Me chamo Finith, deusa da morte para os astecas. Sou meio humana, meio corvo. Se prestar bem atenção, ouvirá o choro das almas que carrego nos braços. Todos os dias percorro as fendas deste lugar à procura dos que agonizam em seus momentos finais, os recolho e lhes dou o alento de se tornarem companheiros do sol enquanto aguardam o momento de retornarem à Terra.

Algumas almas voltam reencarnadas em colibris, outras em serpentes, outras em cogumelos. Todas, quando partem, precisam do meu auxílio para a grande travessia. Nenhum espírito conseguiria sozinho atravessar o rio profundo, escalar penhascos, contornar vulcões, enfrentar feras e outras divindades. Todos precisam de mim para se libertar de seus corpos pífios. A transição dos que alcançaram em vida o desenvolvimento pleno de seus espíritos é tão rápida que eles mal se dão conta da passagem.

A maioria dos astecas teme a mim desde o nascimento. Mas, sem minha ajuda, nenhum deles cumpre a mais importante jornada da existência. A passagem do mundo deles para outro é perigosa e imensamente aterrorizante para muitos, posto que isso lhes pesa a consciência. Olhar para trás quando chega o fim da vida e refletir se agiu com ética é um dissabor para a maioria deles. Durante a travessia, o desejo de se purificar faz com que os espíritos malignos que habitam esses indivíduos fiquem pelo caminho. Se, ao final, houver o que se aproveitar, nasce uma nova pessoa. Caso contrário, ela se extingue por si só.

Concluída essa jornada, os sobreviventes — guerreiros e bravos combatentes, indivíduos que defendiam a ordem, a justiça, a terra e o povo —, transformam-se em feras imbatíveis. Os seres comuns, em águias douradas; os anciãos, em cavalos de fogo; as crianças, em borboletas de luz.

Há também quem chegue ao mundo dos mortos com o mesmo corpo, mas somente os muito evoluídos, aqueles que compreenderam desde cedo que nada é suficiente mesmo tendo o que desejaram, assim como aqueles que souberam dar ou ser alento na vida de outra pessoa. E isso serve para amizade, dinheiro, poder e amor. Uma vez no Éter, esses corpos reencarnados desfrutam da satisfação suprema, física e psicológica, e assim aguardam o momento de voltar. Aqueles que alcançam a evolução máxima também voltam para dar a mão a quem precisa, para iluminar a vida de alguns e acalmar as tempestades que se formam dentro de outros. Há muitos seres bons, mas que agem de maneira selvagem, abrupta, desmedida, rude, inconsequente, porque não sabem controlar seus ímpetos, seus sentimentos. E é por isso que eu e outros deuses enviamos de volta à Terra esses iluminados, para ajudar na remodelagem dos rebeldes. Mas nem todos saberão aproveitar a oportunidade.

Muitos acreditam que o tipo de morte indica a conexão do morto com os deuses. Entendem que isso é importante para definir por quanto tempo o falecido deve ser cultuado. Em alguns casos, o finado não é celebrado, por exemplo quando ele é apenado pela prática de um crime. Eles consideram crime tudo o que não aceitam. O morto deve ser imediatamente esquecido, nem mesmo ter seu nome pronunciado, ainda que por seus familiares, sob medo de desagradar os deuses severamente. Suas roupas e todos os outros objetos que lhe pertenciam devem ser queimados, e sobre suas cinzas espalhar uma grossa camada de sal para que nada dele sobreviva.

Os que morrem crianças — ou seja, até os dez anos de idade — e as mulheres que fenecem no parto vão diretamente aos jardins sagrados e podem ser cultuados até que nasça uma nova criança na família, momento em que as honras póstumas devem cessar e toda a atenção passa a ser dedicada àquele novo ser.

Em Huacán há pessoas de bem, com seus pecados, claro, mas são um povo bom, obediente e devoto. Produzem os próprios alimentos para sua subsistência e, quando necessário, pelo amor que têm aos deuses, dão vidas em sacrifício, o que não podemos ignorar. Não pedimos sacrifícios humanos. Jamais! Eles é que acreditam que isso nos agrada. Por isso, para eles, essa prática não é um crime. E se assim acreditam, retribuímos com gratidão.

Tal prática é cruel, eu sei. Mas, nos sonhos, orientamos os sacerdotes sobre o fato de que todo sacrifício humano deve ser cuidadosamente preparado para não horrorizar demasiadamente a família do sacrificado ou quem presencia o ato. Orientamos, também, para que o façam de forma reservada. Mas os humanos são teimosos e eles sempre realizam um grande evento para o sacrifício.

Tamanhos sofrimento e abnegação dos imolados são recompensados com nossa generosidade. Mas nem tudo o que se passa na Terra é interferência nossa, como acreditam os astecas. Muito do que acontece não é resultado de um simples estalar de dedos dos deuses. No entanto, os humanos são cegos demais para compreender isso. Focam somente as divindades e se esquecem do indivíduo.

A bagunça que o vento faz ao entrar na casa, sujando tudo de areia e tirando as coisas do lugar, não é culpa dele, mas de quem deixou a porta aberta. O vento que tomba árvores, traz a tempestade, derruba tendas e arranca a cobertura das moradias é o mesmo que brinca com os cabelos, leva o temporal para longe, refresca a pele, semeia alimento e flores, limpa as nuvens e revela as estrelas. Tudo depende de como você se comporta em relação ao vento, de como você reage ao que acontece.

Huacán tem um comércio bastante desenvolvido, embora fique a mais de mil quilômetros da capital Tenochtitlán. Os produtos circulam na base da troca. Há um controle rígido para que só entrem produtos de boa qualidade e, se descoberta qualquer tentativa de comercializar mercadorias falsas, a punição é impiedosa por parte do exército imperial. Não raro, uma apreensão fraudulenta culmina na prisão do infrator, seguida por execução em praça pública. A Corte trata a sonegação como traição grave.

Além de algumas poucas pepitas de ouro e prata nas mãos de alguns comerciantes e certos indivíduos da nobreza, a riqueza também vem do cacau, do feijão, de plumas de grandes aves, de peles e dentes de ferozes animais, entre outros produtos que despertam interesse demasiado, como o óleo de Nictexa, uma flor rara da qual se extrai um extraordinário hidratante para a pele, mais avassalador que feromônio.

É interesse do imperador Montezuma fortalecer todo o território asteca. Para isso, ele mantém seu exército muito bem estruturado e cobra das classes menos favorecidas pesados tributos e trabalhos forçados. Há escravos sob domínio de quase todas as classes sociais.

Nobres, soldados e religiosos têm um tratamento benevolente por parte da Corte, que vê nessa estratégia uma maneira de ter ao seu lado as forças intelectual, bruta e divina, respectivamente, a fim de manter a população sob controle.

Os comerciantes estão no meio da estrutura social. Não escapam da opressão constante da Corte — que depende deles para obter produtos variados — e têm de pagar altos tributos duas vezes ao ano. São constantemente vigiados pelos soldados, e o trato com a Corte se dá sempre por uma troca de falsos sorrisos.

Os militares são escolhidos uma vez ao ano, após passarem por uma rigorosa prova. Qualquer um pode se alistar, mas será avaliado em duelos públicos.

Montezuma é um habilidoso guerreiro e bastante austero para com os súditos, visto como alguém cuja vaidade está acima da governança. Para boa parte dos conselheiros da Corte, o Império não está totalmente seguro nas mãos de Montezuma. O imperador gosta do luxo, da fartura e mantém o palácio com o auxílio de um grande Conselho bastante rígido.

O forte imperial é suntuoso e se eleva grandiosamente, com escadas largas em seu interior. Grandes pedras compõem não só as muralhas do forte, como todas as paredes divisórias, formando amplos corredores. A ala principal dos aposentos do imperador é tão suntuosa que por ela pode passar uma completa guarnição militar sem o risco de tocar as paredes. Esse é um cuidado peculiar para se evitar que o soberano seja atocaiado em um corredor estreito.

O imperador Montezuma é um tanto instável, o que abre caminho para a sanha de muitos e, vez ou outra, traições são descobertas até entre aqueles que se diziam seus amigos. E, obviamente, a punição termina com os meus serviços.

O maior carrasco, porém, não é Montezuma, mas Tonauach, líder supremo do exército de Huacán, homem temido por todos, dada sua crueldade para com os prisioneiros. É ardiloso e sorrateiro, tanto em suas estratégias de combate quanto no trato com as diversas classes sociais. Mesmo que alguém suspeite de suas ações, quem haverá de confrontá-lo? Denunciá-lo? Primo de segundo grau de Montezuma, o carrasco tem a guarida de que precisa para acobertar seus malfeitos.

Tonauach é casado e tem um filho chamado Yuma, cuja personalidade é muito semelhante à sua. Há, em Yuma, um resquício de bondade recebida de sua mãe, mas que não aflora diante da tirania paterna que o ensina, desde muito cedo, a humilhar, trapacear, mentir, roubar. Essas atitudes ficam mais afloradas com o avançar da idade, ao mesmo tempo que a mãe começa a perder o controle sobre Yuma. Criança levada que é, amiúde escapa dos limites do palácio e vai brincar com mais liberdade, na companhia de outras crianças não nobres. Faz isso às escondidas, pois o pai expressamente o proíbe de conviver com os comuns, e apesar de desobedecê-lo não resultar em um castigo físico, esse ato de rebeldia rende muitos dias de enclausuramento na Corte.

Yuma é, como toda criança, pueril, mas extremamente influenciado por Tonauach. Se, por um lado, as fantasias inocentes da infância lhe povoam a cabeça, por outro começam a lhe borbulhar intenções maliciosas, deliberadamente incutidas por seu progenitor.

Em uma de suas aventuras pelas sendas de Huacán, entre outros meninos correndo uns atrás dos outros, Yuma acaba esbarrando em Yareth, garoto da mesma idade, de família humilde e que se torna seu amigo dedicado e inseparável.

Yareth é irmão de Tuareq, ambos filhos de Ollin e Donaji. Ollin, artesão cujo trabalho se mostra muito expressivo, rico em detalhes e acabamento, tem reputação de muito honesto e cumpridor de seus deveres. É respeitado em seu meio, pois com seus jarros de cerâmica, cestos, balaios e esteiras de palha, consegue prover o mínimo, a alimentação básica da família. Além disso, auxilia os sacerdotes na Escola Maior contribuindo na formação dos alunos, o que lhe custa muitas horas fora de casa. Yareth, o filho mais velho, sempre faz o trabalho mais pesado, que é buscar a argila em um local muito distante. Nunca reclama e sente-se útil e grato por ajudar. O irmão, por ainda ser pequeno, não consegue fazer muito. Donaji, a mãe, é parteira, com respeito considerável em Huacán. Raro algum bebê morrer em suas mãos. Por isso, apesar de sua origem humilde, até as mulheres da Corte requerem sua presença quando percebem que vão dar à luz.

Ollin e Donaji prezam por sua família. É comum os pais tratarem seus filhos sem muita liberdade, mas não nessa casa. O ambiente é harmonioso. Ao fim do dia, reúnem-se todos em volta do fogo para fazer a única refeição mais substanciosa que lhes é possível. Ollin não se furta a orientar seus filhos a ser corajosos, lutar contra as injustiças, defender os fracos, afastar-se dos traidores e preservar o amor. Disse ele certa vez:

— Tenham em mente que tipo de pessoa querem ser e defendam seus valores, pois a vida fica mais difícil à medida que subimos os degraus. — E emendou: — Não esperem pela plena satisfação de todos. E não deixem a oportunidade passar. A vida é uma eterna inconstância, e saber lidar com isso é o que vai nos proporcionar mais ou menos tranquilidade e paz.

Passam horas assim, sorvendo de sua sabedoria. Yareth se assemelha muito à personalidade centrada, solidária, equilibrada, mas também destemida, de seu pai. É um jovem vibrante, de cabelos longos, de olhos pequenos e puxados, com um sorriso que ilumina todo o lugar.

Yareth e Yuma se encontram com frequência para brincar. Correm, se escondem entre as fendas das rochas, nadam nas águas mais rasas do Sumidero, mas evitam os trechos perigosos que sugam as pessoas e de onde ninguém nunca consegue escapar. É cair lá e sumir para sempre. Por isso o nome. Nesse ponto do rio, os paredões do penhasco são tão altos que não se pode ver o fim. É assustador, e até eu, deusa da morte, concordo com isso. O pavor, a escuridão, o vento uivante… O abismo mata qualquer um que nele cai, antes mesmo de se chegar ao fundo. Fundo este que os mortais nem sabem se existe de fato — e eu também não vou contar. Qualquer coisa que é jogada lá de cima mergulha no Sumidero e vai direto para o centro das trevas. Todos de Huacán temem esse despenhadeiro. Eu, particularmente, me encanto com o lugar.

Os dois amigos crescem juntos a contragosto de Tonauach. Yareth estuda de manhã e ajuda seu pai à tarde, sobrando o fim do dia para brincar. Yuma vive uma vida sem muitas regras e por vezes se vê dividido entre priorizar os estudos, como é a vontade de sua mãe, e dedicar-se a se tornar um bravo guerreiro, como quer seu pai. Os meninos de oito anos passam o tempo juntos brincando, correndo um atrás do outro, subindo em árvores, mergulhando e se escondendo nos rochedos.

Ollin não se opõe a essa amizade, mas orienta Yareth a ficar atento, pois não acredita muito na lealdade de Yuma; já o ouviu, algumas vezes, se referir a outras pessoas com desprezo e até crueldade em muitos comentários desairosos, não se incomodando em se manifestar dessa maneira em público, protegido pela sua posição de nobreza. Para o ingênuo Yareth, esse é só um lado imperfeito do amigo.

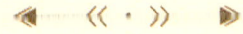

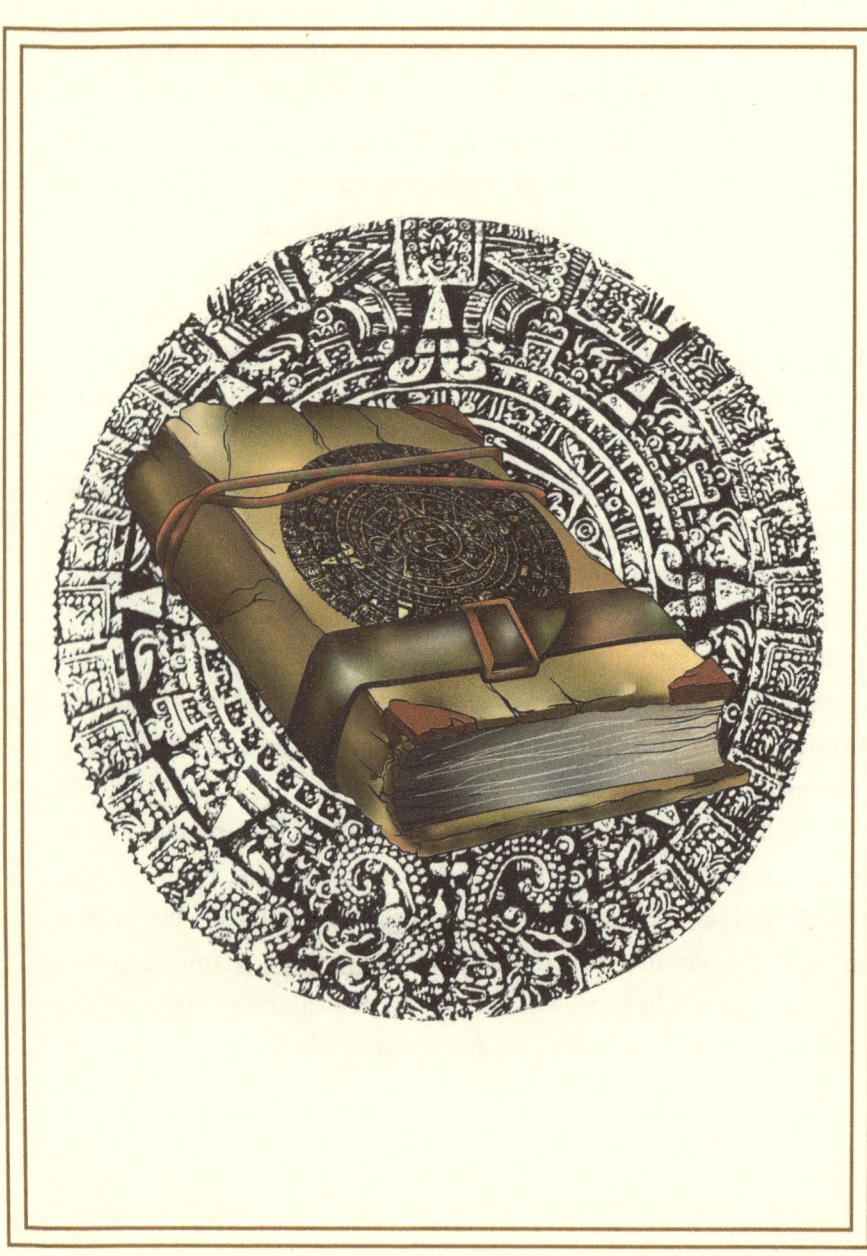

SÁBIOS

A terra de Huacán possui grandes tesouros escondidos atrás de corredores inacessíveis do palácio, mas não somente isso. Há uma riqueza imaterial, fruto da conexão entre alguns homens e as divindades, interpretada e transcrita nos Códices Sagrados. Esse tipo de livro é confeccionado com pele de ovelha, tratada para ficar bem fininha, possibilitando que vários pedaços fossem amarrados uns aos outros pela extremidade, protegidos por uma capa de couro bem espesso e macio e identificados segundo o tema, por letras e desenhos pertinentes.

Como esses códices são sagrados, é preciso que o couro seja de uma ovelha jovem e saudável. Não pode ser abatida em perseguição para que seus músculos não enrijeçam as fibras, tampouco retirem o brilho e a maciez da pele do animal. Também não pode ser capturada por um caçador qualquer. Tem de ser o melhor, o mais hábil, o mais valente, o mais viril, pois os comuns acreditam que, quanto mais atraente e admirado o caçador, melhor a ovelha a ser sacrificada e, portanto, mais sagrado o códice será. O animal deve ser abatido em tocaia, de surpresa, num repente, para que não haja tempo de seu corpo reagir ao estresse da fuga. Uma vez abatido, é preciso agilidade. Abre-se seu corpo com uma pedra bem afiada ou lâmina vulcânica, começando pelo queixo, descendo pela garganta, peito, barriga até a cauda. Todo o animal pulsa. O coração calado, o sangue ainda quente, tudo reverbera por mero reflexo. Não há mais nenhum sinal de vida. A esfola deve ser rápida e apenas com a mão em punho para evitar que o processo de decomposição não comprometa a qualidade da pele. O caçador tem de ter água abundante no bornal para a lavagem dos resíduos. As vísceras não aproveitáveis são deixadas ali mesmo para que outro animal se sirva delas. O corpo da ovelha é levado para consumo. Na limpeza da pele, não se utiliza nenhum instrumento cortante, para não danificá-la e assim mantê-la o mais pura possível.

Ao retornar à vila com o animal morto e limpo, independentemente da hora, cuida-se da secagem da pele. Primeiro, passam sobre ela, em ambos os lados, uma mistura de lascas de árvores nobres. Depois, no lado interno, esfrega-se com as pontas dos dedos para remover todo resquício de fibra ainda resistente, que, com esse preparado, se solta sem grandes esforços e poupa o couro de eventuais danos. O odor do lugar é forte. Aves de rapina disputam fragmentos da carne que escorrem por uma pequena canaleta que leva o cheiro de sangue para dentro da mata. Terminada a limpa, a pele é imediatamente esticada numa espécie de painel, presa por suas extremidades. Uma fogueira com galhos de carvalho é acesa para que a fumaça auxilie na secagem, impeça a proliferação de micro-organismos e dê ao couro um aroma amadeirado, uma cor âmbar e um toque macio e aveludado. A pele é lavada com cuidado todo fim de dia, e uma nova mistura é aplicada. Então, ela é novamente esticada para secar com a fumaça da fogueira. Esse processo é repetido por dias até se alcançar o resultado ideal para a confecção da capa dos códices.

Os escritos surgem a partir das informações dos sábios e são separados por assuntos. Há códice sobre nós, deuses — em que estão relatados, inclusive, os sacrifícios —, calendários, numerais, medicina, agricultura, leis, pictograma (objetos) e as conquistas do Império. Há códices menores, de assuntos variados, mas os sagrados são os Códices Supremos. São nove no total. O nono, e talvez o mais importante, é o Códice das Ideias. Nele está a filosofia, o caminho, a decisão, o questionamento, o silêncio, a luz e a escuridão. A razão da vida e da morte. A essência do próprio homem. Esse volume se sobressai, inclusive, ao códice das leis, pois sem sabedoria não há justiça. E justiça não é o mesmo que dar tudo a todos, independentemente de seus esforços. Agir assim seria levar todos os mortais ao Mundo Elevado, mesmo que tenham vivido em completa degradação consigo mesmo, com o outro e com o meio em que viveram. Nem pensar! Alguns não merecem sequer colocar os olhos nos portais de entrada do Mundo Elevado, muito menos passar por eles!

Não há hierarquia entre os sábios, mas há um tradicional desvelo ao guardião das ideias, que, nos casos mais complicados, é consultado pelos demais. É sua opinião que tem maior peso, e tem sido assim por décadas. É notório o reconhecimento de sensatez e razoabilidade de seus aconselhamentos, sempre pautados no todo, no coletivo, o que nos poupa muito trabalho, pois para os comuns tudo o que não dá certo é nossa culpa. Nunca deles! Os homens são assim. Mais fácil justificar seus erros se dizendo vítimas das ações dos outros do que reconhecer suas fraquezas e deficiências.

Além de cuidarem da escrita dos Códices Sagrados, os sábios são os guardiões oficiais dos escritos. Os escribas começam desde muito cedo a estudar em escolas especiais para despertar as percepções anormais. Seus mestres são os sacerdotes, homens que renunciaram às suas famílias para se dedicar exclusivamente à religião, à formação dos sábios e à orientação do Império. Nem todos que entram para a Escola Maior se tornam um deles. Muitos até chegam a concluir os estudos, mas não desenvolvem o nível necessário de cognição para compreender o que é revelado. Não conseguem desenvolver acuidade lógica, muito menos extrassensorial. Por isso é preciso formar muitos sábios, para selecionar um ou dois (ou, às vezes, nenhum) para se tornar um sacerdote.

Depois de concluírem a formação, o que já reduz o contingente para um de dez do número inicial, há uma grande prova para avaliação final. Somente após essa etapa o vencedor é escolhido pelos deuses para receber a grande missão de se tornar escriba.

Normalmente, os sábios ficam investidos dessa função até uma eventual destituição do cargo, renúncia, impedimento por doença prolongada ou até morrerem. Quando há vacância desse encargo é que os formados na Escola Maior são convocados para a grande prova.

O nono códice está desaparecido, juntamente com o anel sagrado que o sábio deve usar. Por conta disso, há mais de dez anos o sábio das ideias não é empossado, na espera de que o anel e o livro sejam encontrados. Enquanto isso, o Império lança mão de meros adivinhos trazidos dos quatro cantos de Huacán, que tem ficado à mercê das aberrações e desvarios desses videntes.

Esses "especialistas" são consultados para realizar prognósticos sobre os recém-nascidos da nobreza, orientar tomadas de decisões e informar se os dias serão auspiciosos ou imprósperos. Com isso, o palácio fervilha de embusteiros!

Os mortais, com mais discernimento, entendem a importância da missão de cada escriba, não só para registrar os acontecimentos de relevância para seu povo, mas também, e principalmente, auxiliar o palácio nas resoluções que terão impacto sobre a vida de todos. Por serem considerados quase semideuses e os mais próximos do soberano, a posição deles é muito ambicionada. Os escribas são capazes de influenciar ou dissuadir o imperador de quaisquer atos, do mais banal ao mais cruel, oportunidade que, nas mãos de alguém desvirtuado, pode levar Huacán à ruína.

Os anéis sagrados utilizados pelo imperador, sacerdotes e escribas possuem um fragmento extraído de um meteorito que caiu às margens do lago Hauatl em uma noite sem lua. O corpo celeste foi visto por alguns pescadores rasgando o céu em bola de fogo logo após um forte estrondo que assustou quem viu e ouviu o ocorrido. Embora não soubessem do se tratava, o feito foi atribuído a algum deus, possivelmente irado. Muitos indivíduos sequer saíram de casa com medo da fúria dos titãs.

O objeto, que não media mais que um palmo e tinha cor preta e alaranjada, foi recolhido e guardado no palácio sob vigilância dos soldados e sacerdotes. Temia-se que alguma divindade viesse reclamá-lo. Após dezenas de dias em calmaria, ele foi fragmentado e suas pedras destinadas aos anéis sagrados de base de ouro.

ESCOLA MAIOR

Ollin e Tonauach se conhecem de longa data. Estudaram na mesma turma da escola para sábios. Foram garotos iguais no desejo de possuir um intelecto admirável, porém divergiam no motivo pelo qual estavam lá. Enquanto um desejava adquirir conhecimentos para estar a serviço da sociedade e dos deuses, o outro buscava reconhecimento, proteção, aplauso, poder. Ollin, desde o princípio, despertava a atenção dos sacerdotes, que viam nele um espírito crítico, raciocínio abrangente, perspicácia da autoanálise, prudência da interpretação, valor de justiça, sem se intitular o arauto do conhecimento.

Já Tonauach era visto como um oportunista, apesar de muito inteligente e de sua personalidade também agradar a muitos. Porém, seu perfil ardiloso era bem perceptível, relevado pelo fato de seu parentesco com o imperador sempre lhe garantir certa proteção. Desde pequeno sentia-se rejeitado por não pertencer à família direta do soberano, mas à colateral, razão pela qual sempre teve consciência de que nunca chegaria ao trono. No entanto, seu modo dissimulado ainda lhe garante não só sua posição à frente do exército, como a consideração de Montezuma e de toda a Corte, além da submissão dos comuns. Muitos o aplaudiam por cinismo, medo e até admiração. Mas bastava conviver mais de perto com Tonauach para notar que ele era mesquinho, ciumento e perverso. Assim que essas qualidades se revelavam, a ruptura dos aplausos se concretizava.

Na Escola Maior, após doze anos de dedicação, cada aspirante pode escolher estudar somente uma área de interesse. Aquele que pretende se tornar o depositário do Códice das Ideias sempre foi tido como um iluminado, porque dentre todos é o que precisa saber um pouco de cada assunto para ser capaz de estimular a harmonia entre os homens e extrair deles bom senso, se forem dotados dessa virtude. No caso, a virtude da razoabilidade não é privilégio de todo mundo. Há pessoas extremamente inteligentes, dotadas de ótimo raciocínio lógico, bem-humoradas, sociáveis, mas que detêm um espírito pernicioso oculto, especializado em falar algo só para machucar, ofender, dificultar as coisas, em fazer o mal, talvez até mais do que se possa supor. Vai dizer que nunca houve alguém que você admirava, mas que, de repente, o decepcionou ou traiu sua confiança? Ora, até eu que sou a deusa da morte me surpreendo com cada coisa.

Ollin e Tonauach, quando ainda eram meninos, se aproximaram logo que se encontraram na escola. Eram populares, falantes, espontâneos. Ollin, no entanto, um pouco mais reservado e muito, muito observador. Cresceram juntos, de meninos a adolescentes, e então adultos. Por estar sempre atento aos detalhes, às possibilidades, aos possíveis resultados, Ollin tinha mais foco que Tonauach, e isso despertava ciúme no colega, que era mais arrogante por ser da família do imperador. Ollin era capaz de ver as entrelinhas, reconhecer mensagens subliminares, prever o improvável, antecipar-se às reações. Cuidava para não fazer julgamentos precipitados. Quando assim agia, desculpava-se. Não se fazia de humilde, pois era de verdade. Não se autoelogiava, nem se diminuía para ser reconhecido.

As disciplinas da Escola Maior abrangem números, artes, escrita, astronomia, geografia, história, anatomia, religião e filosofia. Ollin e Tonauach sempre se destacaram nas matérias, mas Ollin tinha algumas vantagens. Primeiro, aprendia tudo sem fazer muito esforço. A compreensão das coisas lhe era natural, fácil, enquanto Tonauach obtinha os mesmos resultados por meio de muito trabalho e algumas condutas escamoteadas. À medida que os anos passavam, Tonauach via em Ollin um empecilho para seu plano de se tornar o escriba das ideias, porque essa também era a intenção de seu colega. Para ser um escriba era preciso enxergar além do óbvio. Era necessário estar disposto a não ter pressa em aconselhar, mesmo que premido por todos à volta. Compreender o momento certo para agir ou para ter cautela. Ollin possuía todas as virtudes para alcançar esse intento, enquanto Tonauach lançava mão de métodos escusos para consegui-lo.

A estação do tempo mais fria denunciava não faltar muito para terminar a formação. Ollin estava completamente concentrado na grande prova final. Certo dia, teve de procurar um dos sacerdotes para entregar um arrazoado sobre unificação de povos e, ao entrar na grande Sala dos Códices, encontrou outros aprendizes. Enquanto esperava por seu atendimento, Donaji entrou, cumprimentou Ollin e se dirigiu à última mesa da sala. Sentou-se, com sua atenção totalmente voltada à leitura, debruçada sobre antigos registros. Não estava lá para se tornar sábia, apenas para adquirir conhecimento sobre gestantes e partos, área em que queria atuar. Mesmo frequentando o mesmo lugar por anos, Ollin e Donaji não haviam se notado antes. E, de repente, estavam frente a frente. A voz dele e seu jeito cortês de falar chamaram a atenção de Donaji, que, discreta, não demonstrou qualquer interesse. Ele também a observou, mais do que ela. Era uma mulher bonita, delicada, gentil e culta. Ollin fitava como ela falava com os demais na sala, com uma postura assertiva e elegante. "Quem é essa mulher?", pensou ele. Suas elucubrações foram interrompidas por um sacerdote que surgiu na soleira da porta:

— Ollin! Que bom que você está aqui! Venha. Gostaria de ouvir sua opinião...

Os dois deixaram a sala, acompanhados pelo olhar discreto de Donaji. Depois de entregar seu artigo ao sacerdote, Ollin não a viu mais e foi embora pensando em voltar outro dia para, quem sabe, ter a sorte de rever a mulher que lhe chamou tanto a atenção. Era comum permitirem mulheres nas escolas, mas a elas nunca era dado o mesmo tratamento que aos homens, tampouco a oportunidade de serem ouvidas, exceto se elas viessem de uma família de linhagem nobre ou se tivessem uma permissão especial para isso.

A Sala dos Códices era o lugar preferido de Donaji. Ela não tinha os talentos de Ollin, mas tinha os próprios, e uma boa estrutura intelectual para escrever e tomar nota do que julgava importante. Na semana seguinte ao encontro dos dois, Ollin voltou à Sala dos Códices para ver Donaji, usando como subterfúgio colher dados para uma pesquisa. Quando ele entrou, ela não estava. Havia dois outros rapazes e uma outra jovem, absortos em suas leituras. Ollin optou por esperar um pouco e aproveitou para tomar apontamentos. Sentou-se de frente para a porta. Não tardou para que seu rosto se iluminasse. Quando Donaji entrou abraçada com alguns escritos e viu Ollin, passou por ele timidamente, desconcertada com o olhar fixo dele. Devolveu-lhe um leve sorriso e, repetindo o gesto de outro dia, foi sentar-se no fundo da sala. Cada qual perdeu sua concentração. Ele querendo olhar para trás, ela o vendo sentado bem à sua frente. Ela se levantou e foi até uma prateleira guardar um dos escritos, quando vários deles caíram. Ollin correu para ajudá-la.

— Uma mulher que se interessa pelo saber.

— Busco respostas, pois sei que não sei nada — respondeu ela.

— Bonita, inteligente e modesta. Que satisfação conhecê-la. Estudo na Escola Maior há muito tempo e não me lembro de você.

— Migrei de um outro povoado com um grupo que buscava melhores condições de vida.

— E o que você estuda? Normalmente, as mulheres daqui se dedicam a cuidar da família, dos filhos e à feitura do artesanato. Não é comum vê-las lendo códices.

— Justamente, senhor...

— Me desculpe. Eu sou Ollin.

— Eu auxilio mulheres no nascimento de seus filhos. E quanto mais eu souber, melhor eu faço meu trabalho.

— Mas você está lendo escritos que não têm relação com seu trabalho.

— Não posso me limitar ao que eu faço, Ollin. Há muitos assuntos que me interessam. Quanto mais eu souber, mais eu tenho para refletir e entender o que está à minha volta. Levo minha voz não apenas por mim, mas também por aquelas que não podem ser ouvidas. E você? O que faz aqui?

— Estudo para me tornar um escriba. Desejo compartilhar conhecimento e trabalhar por nosso povo. Estou admirado por seu ímpeto pelo conhecimento. Espero que outras mulheres se inspirem em você, não só para desenvolverem mais o que já fazem para sua própria satisfação, mas também para transformar os homens em pessoas melhores.

Riram. Ela agradeceu.

— Você não me falou seu nome — disse Ollin.

— Donaji.

Os dois beberam do encantamento mútuo. A proximidade aconteceu algumas vezes, tanto pelas idas de Ollin à Sala dos Códices quanto pelos encontros casuais nos átrios da Escola. Ollin era bastante cauteloso, pois Donaji era educada, gentil, mas mantinha uma postura claramente reservada, o que despertava nele um interesse ainda maior. Ela notava o quanto ele gostava de vê-la, e isso também lhe agradava. Era evidente. Ele não disfarçava, mas não tomava iniciativa para encontrá-la fora dali, simplesmente pelo fato de achar que ela não corresponderia ao seu interesse. Diversas vezes ele teve oportunidade de convidá-la para dar uma volta no lago, mas não achava que tinha chances suficientes com Donaji. Curioso como os comuns devaneiam, imaginando o que o outro está pensando. Tentam adivinhar o que se passa na mente da outra pessoa e, não raro, criam fantasmas e monstros que não existem. Com isso, boas oportunidades passam batidas pelo indivíduo, que, por não aproveitar as circunstâncias que lhe são totalmente favoráveis, amarga uma vida de angústia, pobreza, solidão, e atribui tudo isso ao próprio destino, como se fosse algo inevitável. Quanta tolice!

Outros homens cortejavam Donaji, mas ela não via neles predicados que atraíssem sua atenção. Ela havia experimentado decepções que não pretendia repetir. Pensava que, para se unir a um homem, permitir que ele a tocasse, soubesse de suas peculiaridades, seus sonhos, era necessário que fosse alguém virtuoso, sensível, leal para com suas convicções e fiel a seus princípios. E Ollin, de fato, era um homem interessante que a fazia se sentir atraída.

Donaji tinha um perfil assertivo e seu porte alinhado lhe impingia uma imagem de confiabilidade e segurança. Prezava por sua integridade, na defesa de seus valores fundamentados numa forma de vida harmoniosa e próspera. Tinha maturidade para lidar com adversidades. Não que elas não a machucassem, já que não era infalível, mas tentava minimizar o impacto dos reveses em sua vida. Encerrava em si fortaleza e fragilidade, fundidas de forma fascinante.

Mas Ollin não estava de todo livre. Sua mente achava-se povoada de responsabilidades, como sua dedicação total aos estudos para se tornar um sábio em prol de Huacán. Donaji, notando que havia algo que impedia a aproximação de Ollin, optou por se afastar dele, e pensou que o melhor a fazer era tirá-lo da cabeça e deixar de frequentar os lugares onde poderia vê-lo amiúde. Cada um com seus afazeres e dedicado aos seus misteres, acabaram se afastando por quase dois invernos.

A PROVA DOS DEUSES

A Escola Maior está agitada. Os alunos mais antigos e os novatos, cheios de dúvidas e aflições, estão com os nervos exaltados. Sacerdotes reunidos em conselho para avaliar aspirantes e decidir quem passa para a etapa seguinte e quem fica retido. Todos os que chegaram ao fim da instrução são dignos de reconhecimento, porque a formação exigiu muita dedicação e empenho. Cada aluno teve de lidar com seus limites, fracassos, medos, vaidades próprias e alheias, assim como com as camufladas tentativas de sabotagem. Talvez um ou outro tenha uma segunda chance por meio de um exame adicional, uma espécie de avaliação de recuperação. Mas isso só em casos extremos. Em poucas horas os sacerdotes vão divulgar a lista final de quais alunos participarão das provas de conhecimento. São avaliados os domínios de tudo o que foi abordado ao longo da formação, incluindo as mais diversas anotações dos códices existentes.

Cada sacerdote prepara sua lista de perguntas, que vai desde a mais elementar até aquela que deixaria em dúvida inclusive um experiente escriba. Essa avaliação começa no meio da tarde com todos os alunos sentados no vestíbulo principal da escola.

O sacerdote responsável pela direção da Escola Maior, após confabular com seus pares, sai da sala com a lista em mãos e se dirige ao centro do pátio, cercado por estudantes aflitos. Traja uma estola de pele que lhe cobre um ombro e desce na transversal pelo tronco, coberto com pinturas vermelhas. Da cintura para baixo, o ancião, que tem os cabelos presos formando um coque no alto da cabeça, veste uma espécie de saia de uma fina e macia palha entrelaçada. Acotovelam-se mais de mil pessoas, entre as quais Ollin e Donaji, que não conseguem se avistar. Ali estão estudantes e seus familiares, militares e curiosos. Tonauach espera aflito pelo resultado, porém não demonstra nenhuma expectativa, pois domina a arte da dissimulação. Ocupando um púlpito de pedras nobres, em destaque, o sacerdote começa a explanação:

— Os aspirantes finalistas para a prova final totalizam cinquenta e quatro; entre eles, duas mulheres.

A afirmação provoca um alarido na multidão, porque menos de dez por cento dos aspirantes vão passar para a última etapa. A decisão é irrecorrível. Quem se atreveria? O professor pede silêncio e continua, após os ânimos se acalmarem:

— Os finalistas são: Adonatl. Ahecatl. Ameyal, filho de Zootl...

Os comuns não têm sobrenome. Então, quando alguém precisa ser identificado com mais rigor, menciona-se o nome do pai.

Cada um que tem o nome pronunciado comemora. Para eles é uma honra estar entre os finalistas, e acreditam que recebem uma atenção especial dos deuses por terem chegado até aquele ponto. A mim não comovem o coração. Aliás, nem possuo um. Talvez, por isso seja a deusa da morte — dou de ombros. Os nomes continuam sendo pronunciados. Donaji se equilibra na ponta dos pés e estica o pescoço tentando encontrar Ollin na multidão, sem deixar de prestar atenção à menção do nome dele entre os finalistas. Ela, então, vai para um lugar mais alto, próximo ao púlpito, e fica atenta à multidão. Quando finalmente o nome de Ollin é anunciado, ela vê que alguns braços se levantam na aglomeração. Donaji corre para lá supondo que ele esteja naquele ponto. Tenta passar pelo meio do povo, mas percebe que não conseguirá chegar, então resolve ir por fora, contornando a multidão. Por um momento, pensa que perdeu a chance de encontrar Ollin, mas não mais que de repente estão frente a frente. Tudo nele sorri: boca, olhos, espírito.

— Donaji! — ele exclama.

Os dois ficam se olhando e trocando sorrisos.

— Olá! — diz ela, finalmente.

— Uma pena não ter mais desculpas para ir até a Sala dos Códices. É muito bom encontrar você aqui — diz ele.

— Também gostei de ver você. Boa sorte. Fico muito feliz por você estar entre os finalistas. Espero realmente que você se torne um escriba.

Enquanto trocam essas poucas palavras, os comuns vão passando e cumprimentando Ollin, dividindo sua atenção. Donaji sente que o momento não é seu e se despede. Antes que ela consiga partir, ele a segura levemente pelo braço e diz:

— Eu adoraria saber de você em um ambiente não escolar. Se tiver um tempo para conversar, gostaria de me encontrar com você.

— Em três dias, no pôr do sol, na entrada do Portal do Comércio — responde ela. — Esteja lá!

Em seguida, se afasta, ficando cada um com borboletas no estômago. (Afe… Eu não disse isso!)

Donaji não acreditava no convite que tinha acabado de receber. Aquele homem por quem ela se sentia tão atraída demonstrou querer proximidade com ela. Depois de tanto tempo sem que se vissem, ela se perguntava qual o motivo do interesse súbito? Havia tantas perguntas em sua cabeça que o melhor a fazer era aguardar o encontro para conhecer um pouco dele.

A leitura da lista dos escolhidos vai terminando, e o nome de Tonauach também é anunciado. Ele é ovacionado por alguns de seus subalternos militares e caminha em direção a Ollin para cumprimentá-lo, estendendo a mão.

— Não teria a mesma graça chegar a esta fase sem um concorrente como você — diz Tonauach. — Para ganhar bem, é preciso bons adversários.

— Não somos nós que vamos ganhar, Tonauach. O ganho tem de ser do povo. É para o bem coletivo que o sábio deve se esforçar.

O sacerdote conclui o anúncio dos nomes e completa.

— Em cinco dias, no salão principal desta Escola Maior, no meio da tarde, terá início o exame final. As regras já estão fixadas no átrio de entrada.

Tonauach ignora a fala de Ollin e vai para o palácio, tentando pensar em uma maneira de desestabilizar seu concorrente para a prova.

Os finalistas tomam o vestíbulo da entrada para se inteirarem das regras do exame final. Não podem se descuidar de nenhum detalhe. Tonauach é orgulhoso demais para ir até lá se espremer entre os outros aspirantes, por isso pede a dois militares que lhe tragam anotado tudo o que está escrito. Ollin se senta e aguarda os ânimos se acalmarem e, quando a aglomeração diminui, toma suas notas. Volta para casa, passos intercalados com pensamentos em Donaji. Tem de se concentrar na prova, mas a imagem dela é uma constante. Aguardar três dias para reencontrá-la é um tempo absurdamente longo e, para não sentir o pesar da espera, mergulha sua atenção na preparação para a prova final.

O Portal do Comércio é um lugar próximo ao palácio onde alguns comerciantes servem comidas de rápido preparo e bebidas refrescantes à sombra de árvores frondosas. Os comuns se reúnem ali para jogar conversa fora, falar dos acontecimentos cotidianos, reclamar da vida ou simplesmente comer. Ollin e Donaji estão ansiosos e inseguros, cada qual pensando: "O que vou dizer? Que assuntos falar? E se eu falar bobagem? E se eu disser algo que ela ou ele não goste? E se eu parecer atrevido, desinteressante?". Ela penteia os cabelos inúmeras vezes, mas sempre acha que não está bom. Coloca neles uma flor. Tira em seguida. Faz um coque. Muda o colar. Põe nos pulsos e nas laterais do pescoço um extrato aromatizado com nuances de madeira e florais. Solta os cabelos e parte. Ele, por sua vez, anda de um lado para o outro, pensando em mil coisas, inseguro, com medo de falar demais e assustar a moça. O que quer mesmo é ouvi-la. Saber de seus pensamentos, suas opiniões, suas crenças. Há muitos mistérios nela que lhe atraem, inclusive o fato de ser discreta e elegante ao mesmo tempo. Ollin se ajeita com adornos cobrindo os quadris, uma pequena saia sobre a tanga que esconde as partes íntimas. Coloca uma estola redonda sobre os ombros, deixando os músculos do peito e dos braços à mostra. Caminha pensativo em direção ao Portal do Comércio e aguarda por Donaji. Quando ela chega, ele a vê como uma lua que reluz. Sentam-se e conversam, encantandos, um admirando o outro, por quase três horas. Falam de tudo, de suas vidas, seus planos e sobre a grande prova. Curiosamente, observam muitas semelhanças entre si, e diferenças também. Um de frente para o outro em um arrebatamento mútuo.

— Pensei muito em você durante todo esse tempo em que não nos vimos. Faltam dois dias, Donaji. É muito importante para mim me tornar um escriba. Tenho estudado muito e quase não dormi nos últimos dias para não deixar passar nada.

— Não quero atrapalhar sua concentração nem tomar seu tempo. Podemos deixar essa conversa para outro dia.

— Estar aqui com você é até um alento, Donaji. Estava mesmo precisando dessa descontração. Gostaria muito que você estivesse lá.

— Estarei. Darei todo o apoio de que você precisar. Você vai vencer, Ollin. Tem se dedicado muito.

Permanecem mais algum tempo juntos e despedem-se. Os dois já não são mais os mesmos. Foram tocados um pelo outro. Ele é um homem fisicamente atraente, cuja inteligência e sagacidade fazem Donaji se sentir bem. Ela vai embora enamorada, desejando muito tocá-lo, senti-lo e beber mais do seu conhecimento e da sua gentileza. Ollin caminha com um sorriso estampado no rosto, inebriado pelo perfume dela. Chega em casa, deita na cama olhando para o teto, com o olhar perdido. Só pensa em Donaji, suas sedutoras silhuetas e tudo o que ela disse.

Donaji, ao recolher-se em casa, também se aconchega em seu leito. Olhar distante, deslumbrada. Aquele homem não sai da sua mente. Cai num sono profundo, embalada pela lembrança de Ollin. Ela se debate muito enquanto dorme e tem terríveis pesadelos. Sonha com um semideus, meio homem, meio serpente, devorando Ollin numa caverna escura. Acorda de súbito, ofegante, e pressente que ele corre perigo. Não dorme mais o resto da noite, mas fica aninhada até o dia amanhecer. Ela, então, decide passar o dia todo sem se alimentar. No fim da tarde, vai à floresta e colhe algumas flores. Em seguida, vai ao lago Hauatl, se banha, adorna suas vestes e se enfeita colocando as flores nos cabelos em forma de coroa. Uma concha vazia às margens das águas chama sua atenção e ela a pega para fazer um colar. Saindo dali vai ao comércio e compra uma pequena adaga feita com pedra vulcânica. Volta para casa e fica reclusa. Ao cair da noite, retorna à beira do lago, faz uma fogueira e entoa uma cantiga aos deuses, dançando em volta do fogo. Sacando a adaga virgem, faz um corte em seu pulso esquerdo, deixando algumas gotas caírem sobre as chamas, e brada:

— Quetzalcoatl, clamo por sua ajuda a Ollin. Algo terrível está para assombrá-lo. Eu ofereço meu sangue pela vida dele. Peço que o proteja, o guarde e o fortaleça. Eu farei por ele tudo o que estiver ao meu alcance.

O fogo cresce, triplica de tamanho. A labareda parece conversar com a jovem. O sacrifício comove Quetzalcoatl, deus guardião da sabedoria, da vida, do conhecimento, do alvorecer, da fertilidade, dos ventos e da luz que, fascinado pela beleza de Donaji e por seu ato de desprendimento, aceita o sangue dela e acalma seu coração. De súbito, o fogo diminui. Donaji rasga o vestido e, tirando-lhe um pedaço, amarra-o sobre o corte do pulso. Volta para casa, alimenta-se bem e dorme ansiosa pelo êxito de Ollin.

Dia da prova final, nada de anormal na rotina dos comuns, exceto na dos finalistas e de suas famílias. Os sacerdotes estão reunidos na Escola Maior desde muito cedo e repassam os últimos detalhes. No pátio, foram dispostos troncos de árvore cortados com sessenta centímetros de altura para servirem de assentos aos aspirantes. O imperador, os nobres e os sábios ficam num lugar mais elevado, em destaque, para acompanhar a avaliação. As demais pessoas ajeitam-se em pé como podem ou se sentam nas muretas de pedras rústicas do entorno. Nessa época do ano, a temperatura é amena. Há um vento mais insistente que deixa desconfortáveis alguns aspirantes, que já estão com o coração sobressaltado. O sol não está muito forte, o que ajuda a manter os bons odores onde há aglomeração. Perto do meio da tarde, Donaji chega e garante um bom lugar para observar Ollin. Leva consigo alimentos, pois sabe que ficarão ali por muito tempo. O pátio vai enchendo. Os aspirantes têm vestimentas iguais: uma tanga em tecido colorido com desenhos geométricos descendo em tira, chegando quase ao chão. Sandálias com amarrações até os joelhos e braceletes com dentes de animais ferozes, além de uma longa capa com a mesma estampa da tanga. Na cabeça, nenhum adorno. Peito, braços, abdome e coxas refletem um brilho úmido, besuntados para a batalha. Nove homens e nove mulheres tocam flautas de barro e tambores de cinco formatos diferentes feitos com madeira e pele animal. A percussão ressoa acirrando o clima de disputa entre os finalistas. Tonauach chega em comitiva, altivo, com ar de vitória cantada e se dirige aos primeiros lugares. Tem para si que será o vencedor da prova e tomará posse como escriba das ideias. Os presentes se agitam à medida que os aspirantes vão entrando e tomando assento. Ollin surge nos portões da Escola Maior e mal consegue andar, pois os comuns o cercam desejando-lhe boa sorte. Donaji está em pé e o vê chegar. Seu coração dispara. Acompanha sua movimentação. Ele se senta, concentrado na sua responsabilidade, no seu dever, e pensa que ela deve estar por ali, embora não consiga vê-la. Tonauach o observa com ar de desdém. Os sacerdotes tomam os púlpitos de pedra e se posicionam. São três: Malec, o sacerdote-mor que presidirá a disputa; Nomeautl, que sorteará os nomes; e Unfertl, que sorteará as perguntas. Vestem longas túnicas pretas feitas de algodão e tingidas com corantes vegetais. Malec começa a ler as regras da prova:

— Os cinquenta e quatro aspirantes aqui presentes serão submetidos a perguntas de conhecimento sobre tudo o que está escrito nos códices estudados nesta Escola Maior. Na primeira rodada serão sorteados três alunos por vez. Ao ter seu nome anunciado, o aspirante deve ficar de pé, e a cada um será feita uma pergunta específica que também será sorteada. Os nomes dos aspirantes e as perguntas estão nesta balança, cada qual em um prato. Na pira à frente da balança está o fogo sagrado trazido do topo da Pirâmide do Sol. Primeiro, um sacerdote sorteará as perguntas, que permanecerão em sigilo. Depois, outro sacerdote sorteará os três aspirantes que vão respondê-las. O aspirante que errar três vezes estará eliminado. As tiras de couro com as perguntas, depois de lidas, serão lançadas ao fogo, assim como aquelas com o nome do aspirante eliminado da prova. Esta prova só acabará quando restar um único vencedor, que será empossado como grã-escriba das ideias. No entanto, se ao final do primeiro quarto da noite restar mais de um competidor, será cessada a prova de perguntas e iniciada a Prova dos Deuses, cujas regras serão declaradas oportunamente. O escriba vencedor dessa prova será empossado no dia seguinte ao pôr do sol, em cerimônia festiva na qual ele ou ela receberá o códice e o anel sagrado, que deverão permanecer sob sua guarda enquanto estiver na função. Que comece a prova!

Os instrumentos ressoam forte. Urros, assobios, palmas e gritos explodem no pátio. Em seguida, silêncio. Unfertl se dirige ao grande prato, gira-o e dele retira, aleatoriamente, três rolinhos de tiras de couro onde estão grafadas as perguntas. Do outro lado, Nomeautl também gira o prato da balança que contém os nomes dos aspirantes e retira três, abrindo-os imediatamente. Ao proclamá-los, os participantes ficam de pé. Ao que o primeiro se levantou, foi feita a pergunta:

— Quantas vezes o mundo foi criado e destruído até chegarmos aos dias de hoje?

— Quatro vezes — responde prontamente o aspirante.

— Correto — diz Malec. — Códice dos Deuses, página dois.

O aluno se senta aliviado, e há uma manifestação efusiva de alguns dos presentes. O sacerdote pede silêncio e avisa que, se não evitarem a balbúrdia, terão de se retirar. Os outros dois aspirantes permanecem em pé com certa aflição.

A próxima pergunta é dirigida ao segundo aspirante sorteado.

— Quantos céus existem no Universo?

— Treze — responde o aluno.

— Correta, a resposta. Códice dos Deuses, página cinco.

Os comuns, ainda que de forma contida, se manifestam, sob o olhar de censura dos sacerdotes. O terceiro aluno permanece em pé e seu nervosismo é evidente.

— A quem pertence o Oitavo Céu?

Faz-se um silêncio sepulcral. De olhos estatelados, lábios visivelmente secos, Ahecatl não tem certeza da resposta. Há uma tempestade em sua cabeça. Seus joelhos tremem, as mãos formigam e uma cólica intestinal se anuncia. O sacerdote lhe dá o ultimato:

— Responda, Ahecatl!

Premido, ele fala de súbito, sabendo dos riscos:

— Ao Príncipe das Trevas.

Ninguém respira, e é possível ouvir o resvalar das folhas das árvores ao vento. Malec, olhando fixamente para o aspirante, diz:

— Resposta errada. A resposta correta é Cobras de Fogo. Códice do Universo, página quarenta e seis. Anote-se que Ahecatl tem uma resposta errada.

Alvoroço geral enquanto o auxiliar toma nota. O aluno se senta inconformado com seu erro. Alguns lamentam, outros comemoram, afinal só há uma vaga de escriba das ideias.

Tonauach parece tranquilo demais para uma disputa tão importante. Menos de uma semana antes da prova, ele enviou um recado a Unfertl dizendo que queria falar com ele em um local reservado. Tonauach sabia que o sacerdote era ambicioso e apreciava uma vida com regalias, boa comida e mulheres. Mas, para bancar um estilo de vida desse, precisava ter posses. Então, longe da vista de todos, no meio da floresta, Tonauach ofereceu a Unfertl uma pepita de ouro do tamanho de um grão de feijão, para que somente lhe fizesse perguntas fáceis no dia da prova.

— Como posso fazer isso, uma vez que as perguntas são sorteadas? — perguntou Unfertl.

— Não importa o que você vai sortear. Ao abrir a pergunta, você vai ver uma coisa e falar outra. Você conhece os códices e sabe quais perguntas são fáceis de fazer. Assim que perguntar, jogue a tira de couro no fogo para que não percebam que o que você disse não é o que está escrito. Ninguém desconfiará de você nem de mim. Quando eu for empossado escriba, tornarei sua vida muito melhor no palácio.

Foi uma proposta irrecusável. A trama para que Tonauach vencesse a batalha estava formada. Embora ele e o sacerdote soubessem que Ollin não seria um rival fácil de derrotar, o plano parecia infalível.

A prova continua com outros alunos sendo sorteados. Donaji aguarda a vez de Ollin, que permanece concentrado, atento às perguntas que estavam sendo feitas. Depois de nove grupos, chega a vez de Ollin. Os outros dois aspirantes erram a resposta e os comuns fazem certo alarde, sob constante repreensão de Malec. A pergunta sorteada por Unfertl é lida para o artesão:

— O templo do Huitzilopochtli de Pomar tem a imagem de um jovem parado, feito de madeira. Que jovem é esse e o que está usando?

O público não se mexe. Pergunta muito difícil. Donaji rói as unhas. Tonauach esboça um sorriso, esperando pelo erro do oponente. Ollin, sem titubear, responde:

— O jovem é Ehecatl, deus do vento. Está adornado com um manto de ricas penas azuis e usa um colar de jade e turquesa rodeado de sinos dourados.

Malec tem um apreço especial por Ollin e sabe de seu potencial, esforço, dedicação e responsabilidade durante toda a formação na Escola Maior. Ao ouvir a resposta, sente uma satisfação pessoal, mas contém seu ânimo e diz:

— Resposta correta. Códice dos Deuses, página setenta e três.

O público ovaciona Ollin, que se vira um pouco para o lado e encontra o olhar de Donaji, a vinte passos de distância. Eles sorriem um para o outro. Que deleite olhar para ela. Seu coração agora pulsa com muito mais satisfação, no entanto aquele rápido contato visual o faz notar uma atadura no pulso esquerdo de Donaji. Ollin se volta para a frente e aguarda a próxima rodada.

O sorteio de alunos e perguntas prossegue e chega a vez de Tonauach. Ele se põe em pé e, demonstrando muita tranquilidade, aguarda o questionamento lhe ser dirigido. Unfertl abre o rolinho de couro. Observa que a pergunta escrita é bem difícil, referente ao calendário agrícola, com centenas de simbologias. Porém, conforme o acordo feito entre eles menos de uma semana antes, Unfertl enuncia outra questão:

— Quantos meses tem nosso calendário?

Mal termina a interpelação, já lança o rolinho à chama incandescente. Tonauach responde, de pronto:

— Dezoito meses.

— Resposta correta — emenda Malec. — Códice dos Calendários, página três.

Balburdia geral, uns vibrando por Tonauach, outros contra ele. Malec adverte o público novamente para que se contenha. As rodadas de perguntas vão acontecendo, alunos são eliminados, as horas passam e o número de aspirantes diminui.

Os alunos que vão sendo derrotados passam para as últimas fileiras, e os que permanecem na prova se acomodam nas fileiras da frente. Com isso, Tonauach e Ollin vão para as primeiras posições. Tonauach começa a sentir um certo desconforto, pois, não obstante o esforço de Unfertl em somente lhe dirigir perguntas fáceis, Ollin não havia sofrido um único tropeço, mesmo com os mais complexos questionamentos. Os presentes até mostram contentamento em presenciar tamanha sabedoria, causando ciúme no opositor.

◆——《 · 》——◆

A noite chega e a disputa continua ferrenha para os aspirantes, exceto para Tonauach, que em algumas respostas simula uma certa dificuldade para não revelar o que foi engendrado entre ele e o sacerdote. Todos estão cansados e com fome, mas Donaji não arreda o pé. Ollin a vê notadamente exaurida, mas sabe que ela não sairá dali até que acabe o combate. Em seu íntimo, ele se surpreende com o preparo de Tonauach, tendo em vista que durante a formação de ambos ele não fora tão dedicado, mas pensa que, de qualquer forma, ele pode ter se preparado para a prova final, embora a sorte pareça estar lhe favorecendo com perguntas mais fáceis. As rodadas continuam e a noite caminha. A última mulher é eliminada e restam apenas quatro competidores, dos quais dois estão a um erro cada para serem definitivamente eliminados. Um deles erra a resposta e sai.

Ficam Tonauach, Ollin e mais um aluno. Ollin espera que Tonauach erre, mas ele acerta. Ollin acerta também, sob o olhar contrariado de Tonauach. Os dois primeiros avançam. O terceiro erra e está fora da disputa. Malec, então, comunica em alto e bom som:

— Chegamos ao final do primeiro quarto da noite e restam dois competidores. A regra não nos permite continuar. A partir deste momento, encerra-se a fase de competição por perguntas. Tonauach e Ollin devem se preparar para a Prova dos Deuses, que começará à meia-noite. Devem se alimentar e descansar. Aguardaremos vocês no totem do lago Hauatl.

Todos retornam para suas casas com certa pressa, para comer e dormir um pouco. Ninguém quer perder o início da Prova dos Deuses. Ollin vai na direção de Donaji. Está sensibilizado em ver que ela ficou tantas horas ali sem arredar o pé. A multidão o cerca com manifestações de carinho e apoio. Tem dificuldade de passar por tanta gente. Ela, por sua vez, caminha em direção a ele, tentando romper a barreira humana. Finalmente se encontram frente a frente. Se abraçam. Ele toma seu pulso e pergunta:

— O que houve? Por que esse curativo?

— Ollin, você corre perigo. Os deuses me revelaram em sonho que algo está sendo orquestrado contra você. Fiz um sacrifício de sangue ao deus Quetzalcoatl para poupar sua vida, mas não sei o que terá de enfrentar. Tome cuidado.

— Venha comigo — diz Ollin, levando-a pela mão.

Enquanto isso, Tonauach se encontra às escondidas com Unfertl.

— Você tinha de ter dificultado as coisas para Ollin! — reclama Tonauach.

— Mas não foi o que combinamos. Você me pagou para facilitar as coisas para você.

— Unfertl, minha vitória e suas benesses estão em suas mãos.

— Farei o que for possível, mas vai lhe custar mais cinco pepitas.

— Não lhe darei mais nada — diz Tonauach, segurando Unfertl pelo pescoço. — Você me deve lealdade. Tinha de ter me levado à vitória.

— Foi o que eu fiz, arriscando minha própria vida. Mas Ollin é muito sábio.

— Sua vida não valerá nada se não me fizer vencer a Prova dos Deuses.

Com a garganta sufocada pelas mãos de Tonauach, Unfertl fala:

— Talvez eu consiga lhe ajudar. Ganha a prova o oponente que encontrar um colar de jade e turquesa que será escondido na floresta. Mas, antes, vocês terão de tomar um chá que os fará ter visões, e isso atrapalhará os sentidos de vocês. Malec confia em mim. Pedirei a ele que me deixe cuidar disso. Colocarei o colar em frente à Pedra d'Água, sobre ele folhas secas para camuflá-lo. A você darei água em vez do chá. Isso lhe permitirá estar consciente para localizar rapidamente o colar e sagrar-se vencedor.

Tonauach o solta depois dessa promessa. Sai furioso, mas convicto de que vencerá. Unfertl está encrencado e terá de garantir a vitória de seu algoz. Enquanto se recupera da esganadura, começa a pensar num plano para convencer Malec a deixar sob sua responsabilidade a execução da Prova dos Deuses.

Unfertl propõe a Malec que descanse porque está velho e foram muitas horas de prova. Argumenta que ele, por ser mais novo, terá mais vigor para ir à floresta esconder o colar. Como não desconfia do conluio, Malec consente.

Donaji e Ollin se refugiam perto do lago Hauatl e se sentam sob uma árvore frondosa. Uma lua cheia, gigante e vermelha, começa a surgir no horizonte. Entendem isso como um sinal de que a prova será difícil. Ele toma o pulso de Donaji e, com cuidado, tira a atadura. Observa atentamente o corte ainda recente. Enquanto ele refaz o curativo, diz a ela:

— Você não precisava ter feito isso por mim. Eu não mereço tanto. Mas sou grato por tamanha coragem e desvelo. Sinto que estou definitivamente ligado a você.

Eles se beijam. Um beijo cheio de ternura, mas também de muito desejo. Sorriem e se contêm. Ela oferece a ele os alimentos que trouxe. Depois de comerem, Ollin se deita ao lado de Donaji e os dois dormem entrelaçados. Acordam com vozes se aproximando. São os comuns chegando para a Prova dos Deuses. Trocam olhares ainda enamorados e sentem a completude e o bem-estar que um traz ao outro. Ele está surpreso com tamanha abnegação da mulher que, para ele, é uma deusa. Sente-se renovado. Está pronto para a prova, mais do que poderia supor.

◂—« • »—▸

As pessoas chegam e se aglomeram, dissipando o silêncio do lugar. Malec, Unfertl e Nomeautl se aproximam em comitiva e se posicionam à frente do totem em cuja extremidade mais alta há uma cabeça de serpente com a boca aberta e olhos medonhos. Malec olha para a posição da lua no céu e chama por Ollin e Tonauach. Ambos se apresentam. Malec pede silêncio e esclarece as regras:

— A Prova dos Deuses tem esse nome porque um colar de jade e turquesa igual ao do deus Ehecatl foi escondido na floresta, e vocês terão até o nascer do sol para achá-lo e trazê-lo até mim. Se o sol nascer antes que o colar esteja em minhas mãos, não haverá vencedor e a função de escriba das ideias permanecerá vaga. Para encontrar o colar, observem o que os deuses lhes revelarão. Por isso, devem tomar o chá que os colocará em contato com eles. Que comece a prova!

Os instrumentos retumbam vigorosamente. Tochas de fogo fumegam acima das cabeças. Unfertl, que já havia preparado o chá, leva as cumbucas para os dois concorrentes. A que foi preparada para Ollin tem uma pequena folha de erva, indicando que aquele chá é, de fato, o que contém o alucinógeno. O recipiente de Tonauach contém água pura. Os dois bebem e Malec caminha com eles por uns cinquenta metros até a entrada da mata. Os dois entram e Malec retorna ao totem. A noite está um pouco fria e a lua já subiu, iluminando as copas das árvores. Ollin começa a sentir a cabeça rodar. Sente náusea e transpira muito. Com isso, diminui o caminhar. Passa a ter visões, entre elas, a do deus Ehecatl. Senta-se. Sua cabeça parece rodar. Tonauach, que já estava um pouco à frente, não satisfeito em saber a localização do colar, volta somente para zombar de Ollin:

— Levante-se, Ollin! Vai entregar a vitória para mim sem sequer lutar? Onde está o bravo, corajoso e destemido competidor? Onde está o arauto da sabedoria?

Ollin fica em silêncio, trêmulo e preso em suas alucinações: criação do Universo, pássaros gigantes em voos rasantes, Donaji fazendo sacrifício e beijando-o, bolas de fogo, tudo se misturando em sua mente. Ollin parece fora de combate. Tonauach, aproveitando-se da condição de Ollin, levanta-o e carrega-o alguns passos à frente, então o posiciona sentado ao lado de uma árvore. Tonauach amarra Ollin ao tronco com as mãos para trás. Sai em direção à Pedra d'Água, onde Unfertl diz ter escondido o colar. Anda sem pressa, feliz por estar muito perto de se tornar um escriba respeitado. Ri consigo mesmo de sua façanha, e sabe que o entorpecente não permitirá a Ollin fazer qualquer acusação, pois todos considerarão fruto do delírio do artesão. "Que idiota", pensa Tonauach. "Foi mais fácil do que imaginei!".

A madrugada avança e algo na floresta começa a dar sinais de mudança no tempo. Um vento inesperado sopra no lugar. As folhagens se agitam, animais correm e nuvens cobrem a lua. Subitamente, o vento se transforma em vendaval. Galhos se quebram, o que obriga Tonauach a interromper sua missão e procurar abrigo sob arbustos mais reforçados. A mata fica às escuras. Ollin começa a sair do transe e percebe que algo anormal está acontecendo. Ao perceber que está amarrado, força um pouco o cipó e consegue se soltar. (Seria o acaso agindo? Não! Claro que não! Sei muito bem de onde vem esse vendaval! É Quetzacoatl, deus do vento, que certamente não está gostando nada, nada do que Tonauach está fazendo. E ele sopra. Sopra muito. A ponto de fazer as árvores se curvarem. Tanta fúria não deixa quietas as folhas do chão.)

Os sacerdotes e os comuns à margem da floresta se surpreendem com o furacão. Unfertl arregala os olhos e leva as mãos à cabeça, pressentindo a tragédia que se aproxima. A pirâmide de folhas que ele fez para esconder o colar dissipou-se completamente, deixando o objeto à mostra no solo.

Donaji se aflige, teme por Ollin. Olha para seu curativo e confia em seu pacto com Quetzacoatl. Ollin, sabiamente, não se move, esperando que tudo se acalme. Afinal, não sabe direito onde está nem quanto tempo ficou ali. Tonauach, no entanto, tateia o chão, desesperado e no escuro. Embrenha-se mata adentro, cada vez mais longe da Pedra d'Água. Ele se perde. Então, o vento para, as nuvens vão embora e a lua volta a brilhar, iluminando a floresta.

Ollin percebe que está na trilha e logo reconhece o lugar. Apressa-se e, em pouco tempo, avista a Pedra d'Água. Quando se aproxima do local, percebe que o céu começa a clarear. "Logo o sol vai nascer", pensa. Dá mais uns passos e se assusta com um grande pássaro que surge de repente e pousa sobre a Pedra d'Água. A ave é linda! Enorme! Toda azul-turquesa, bico grande e curvo, olhos grená. O pássaro olha para Ollin e fica saltitando sobre a Pedra, como a cortejá-lo. Ollin sorri. A ave desce até o chão e pega o colar com o bico. Ollin sequer o tinha visto. A ave se mexe com delicadeza, como se já o conhecesse. Ele estica o braço e a ave pousa sobre ele. Com todo o cuidado para não assustar o pássaro, Ollin pega o colar.

Donaji vê o sol despontando no horizonte e se angustia. Olha para a floresta e sabe que só restam alguns segundos para Ollin aparecer com o colar. Malec toma a posição para anunciar o encerramento da prova, sem vencedor, e abaixa a cabeça, tentando esconder a tristeza de seus olhos. Donaji, então, corre em direção à floresta. O povo comemora. Ollin vem trazendo o colar enquanto o sol ascende exuberante. O artesão é carregado pelos comuns, que festejam. Malec recebe o colar e anuncia:

— Ollin é o vencedor da Prova dos Deuses e será empossado escriba das ideias amanhã, ao cair da tarde.

O alarido explode e os presentes levam Ollin em festejo. Unfertl leva as mãos à cabeça e pressente que as coisas não ficarão boas para o seu lado. Aproveita o tumulto e, como não vê Tonauach, sai sorrateiramente. Malec toma a frente e conduz Ollin para ser cuidado e alimentado. Em pouco tempo, não há mais ninguém às margens do Hauatl.

No meio do dia, sem notícias de Tonauach, Montezuma ordena que alguns homens do exército façam uma busca por ele na floresta. Depois de algum tempo, Tonauach é encontrado embrenhado na mata, ferido pelos galhos, sem forças, combalido. Ao saber que Ollin venceu a prova, sente seu sangue ferver. Levam-no ao palácio e o entregam à sua mulher. (Sim, ele é casado.) Recobradas suas forças, Tonauach se dá conta de tudo o que aconteceu e tem um ataque de fúria, jogando sua esposa ao chão quando ela tenta acalmá-lo. Com ela também consegue mostrar seu poder, sua autoridade. Não se dando por vencido, ele decide por um ato extremo. Aproveitando-se de que todos estão ocupados com a cerimônia de empossamento, espera o avançar da noite para ir às dependências do palácio onde estão guardados o códice e o anel sagrado para saqueá-los. Sem os objetos, não há posse.

◀——《· 》——▶

Quando chega o momento da cerimônia, a Corte fervilha. Todos festejam o grande momento e entendem que os deuses se felicitam com o acontecimento. A cor predominante para essa ocasião é o branco e todos os tons que se aproximem do dourado. Com as tochas acesas, um brilho especial recobre tudo e todos. Tonauach, para afastar qualquer suspeita contra si, vai até Ollin e o cumprimenta. Ele agradece. Quando o militar sai, Ollin confidencia a Donaji, que está ao seu lado:

— Tive visões na floresta. Algumas com você e outras com Tonauach me amarrando a uma árvore.

Ela olha os punhos dele e vê as marcas de cipó. Ambos percebem que aquilo não foi um devaneio. Malec pede a Unfertl que vá buscar o códice e o anel sagrado para dar início à posse de Ollin, que traja paramentos de cor branca e preta.

Ele é levado para um assento em destaque, mais alto, e sua cabeça é raspada com um pequeno punhal virgem, que depois é entregue a ele. A perda dos cabelos simboliza o ganho de sabedoria. O pátio do palácio está todo enfeitado para a grande noite. Tambores vibram, pessoas dançam, flores e tochas enfeitam o lugar. Todos estão felizes, pois há muito esperavam a posse do escriba das ideias. Unfertl passa por Tonauach de cabeça baixa, evitando contato visual, mas sabe que o militar não aceitará a derrota e cobrará caro por isso. Quando chega à Câmara do Conhecimento onde o códice e o anel são guardados com toda a cautela, descobre que os objetos sagrados desapareceram. Tem um mau presságio e até supõe quem os levou. Volta correndo e confidencia a Malec o furto. Montezuma também é informado e pede a Malec para comunicar Ollin.

— Inexplicavelmente, o códice e o anel sagrado foram furtados — diz o sacerdote para Ollin e Donaji. — Sem esses objetos, não temos como empossá-lo escriba. Até que sejam encontrados, a cerimônia fica suspensa. Eu sinto muito, Ollin.

Malec se retira. Donaji diz a Ollin:

— Sabemos quem pode ser o responsável por esse sumiço, mas, se não pudermos provar, nada poderemos fazer.

Ao ser informado sobre o furto dos objetos sagrados, Tonauach se mostra surpreso e indignado. Pede a Montezuma para cuidar da investigação do caso e o imperador, dado o grau de confiança no primo, consente. Donaji quer avisar Malec de sua desconfiança, mas Ollin acha essa atitude imprudente. Os dias passam e a investigação se arrasta sem nenhuma conclusão. O Códice das Ideias e o anel permanecem desaparecidos.

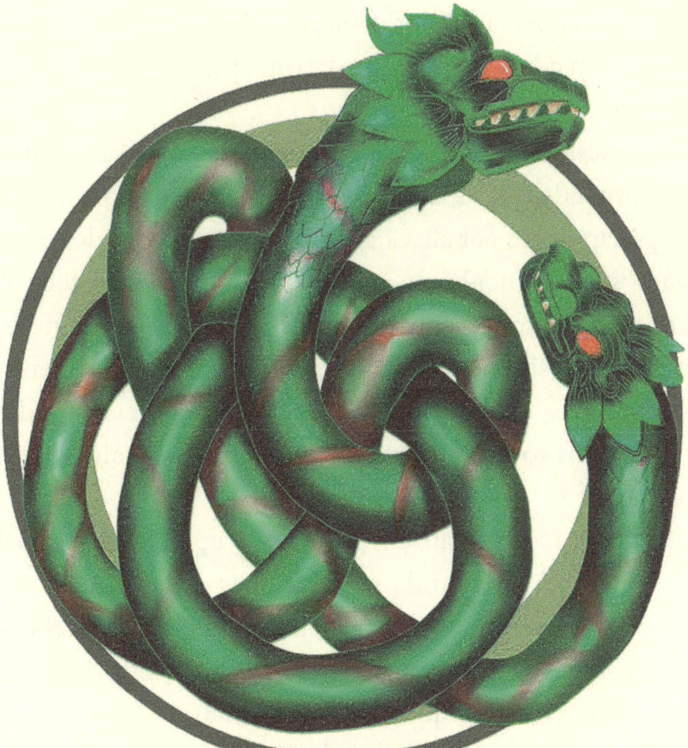

A MALDIÇÃO DE TENOCH

Há uma lenda em Huacán que diz que seu povo migrou de uma região muito distante depois de um longo, sofrido e causticante período de seca. Nessa região, estavam todos sendo dizimados por doenças, fome e escassez de água, e não contavam com mais de cento e trinta pessoas, entre homens, mulheres e crianças.

As nascentes que abasteciam aquele povoado secaram subitamente, tornando árida a terra. As chuvas apenas se avizinhavam e nunca precipitavam por ali. Chegavam a ouvir o ronco dos trovões ao longe, sem que nenhuma gota preciosa descesse do céu sobre suas cabeças. Com o plantio de alimentos se tornando inviável, só restava a subsistência da fauna e da flora, que rapidamente se tornaram escassas também. Os animais que sobreviviam desapareciam, pois só lhes restava partir em busca de alimento em outras paragens.

Os nativos se dividiam em pequenos grupos de três ou quatro pessoas para buscar comida na mata, mas essa prática logo foi abandonada, pois muitos retornavam combalidos, doentes e sem provisões. Todas as vezes que saíram com esse intento, retornaram em condições piores do que quando partiram.

Dizem que naquela localidade, antes mesmo de os nativos abandonarem o lugar, um sacerdote teria recebido uma mensagem enquanto dormia. Em um sonho, os deuses avisaram o homem para que evacuasse aquelas terras e seguisse com a população por um caminho longínquo e distante em direção a um destino ideal e seguro para eles. As entidades disseram que eles saberiam identificar o local onde poderiam recomeçar suas vidas quando encontrassem uma águia devorando uma cobra sobre um cacto com duas partes prolongadas a partir do caule, lembrando um tronco humano, com braços e cabeça.

Nem só alimento para o corpo aquele povo buscava. Os nativos desejavam algo intangível, de valor incalculável, que lhes proporcionasse sensações tão grandiosas como o beijo do sol no oceano ou o sopro de uma nova vida. Experimentar a plenitude ecoando na eternidade, ainda que num único minuto. E o que ficou desse pequeno momento, muitas vezes, vale mais que uma vida inteira. Não é o tempo vivido, mas o que se viveu, o que realmente importa. Por isso, às vezes, é necessário enfrentar outros caminhos.

O trajeto feito por esses retirantes era inóspito. Em meio à mata, conseguiam se proteger do sol e do calor sufocante. A tribo sabia que entre a vegetação poderiam encontrar algum veio d'água, mínimo que fosse, o que lhes permitiria a sobrevivência. Em algumas plantas era possível encontrar algum líquido empoçado, mas na maioria das vezes insuficiente. Apesar da seca e do sumiço dos animais, era possível achar algumas frutas mirradas, nascidas depois da redução da fauna naquele lugar. Muitos desses nativos sucumbiram durante a migração, reduzindo o grupo a menos da metade dos integrantes. O próprio sacerdote adoeceu em duas oportunidades, obrigando o grupo a parar alguns dias. Mas ele logo recobrou suas forças, após encontrarem um local com bambus dos quais conseguiram obter água para o restabelecimento da tribo. Armazenaram o que puderam em pequenas bolsas de pele de animais e seguiram em frente.

Entre os nativos havia dois jovens que divergiam em pensamentos, hábitos e valores. Conviviam, porém sem nutrirem simpatia um pelo outro. Mal podiam se encostar que tudo era motivo para um duelo. Harmolh era mais velho, mais centrado, com um senso coletivo marcante e mais inteligente. Já Loth era rebelde, impetuoso, egoísta, e seu jeito de ser sempre provocava conflitos entre os demais, pois bastava levantar uma dúvida para incitar a discórdia.

Durante a caminhada, um dos homens de grande valor para a tribo adoeceu após se arranhar em um dos espinhos venenosos muito comuns naquele lugar. Todos temiam perdê-lo, já que sua sabedoria era muito cara ao grupo. Harmolh sugeriu que descansassem por uns dias e que água e comida fossem dadas preferencialmente aos doentes, e o que sobrasse fosse dividido entre os demais. Loth discordou. Alegou que dessa forma todos morreriam, que os insumos tinham de ser distribuídos igualmente entre todos, e se alguém não resistisse às mazelas, nada poderiam fazer, pois seria vontade dos deuses. Harmolh rebateu e convenceu todos de que cada vida era importante, cada um tinha seu valor próprio. Então todos repartiram o pouco que tinham para ajudar os que se achavam enfermos. Loth se viu sozinho. Sua ira por Harmolh crescia rapidamente, como a lua cheia quando desponta no horizonte. Tinha inveja de como ele era amado, dos olhares de admiração que recebia, da consideração que todos lhe dispensavam.

Certa noite, quando o sol ainda não dava sinais de aparecer, Loth viu Harmolh se afastar dos demais em direção ao rochedo e levar consigo uma espécie de bornal, indicando que saía à procura de água. Loth o seguiu sorrateiramente, aproveitando que estavam todos dormindo. Sua face estava rija e seus olhos tomados de absoluto ciúme. Apesar da escuridão, era possível caminhar nas trilhas soturnas. No encalço de seu opositor, quase esbarrou numa touceira de espinhos venenosos, e uma ira lhe tomou por inteiro, o que o fez desejar matar Harmolh. Com muito cuidado, arrancou uma haste de um palmo de comprimento da touceira. A toxina mortal se concentrava na ponta dos espinhos. Não demorou para encontrar Harmolh vasculhando o paredão de pedras atrás de veios d'água. Gritou de onde estava:

— Harmolh, quer ajuda?

— Loth! Venha, vamos procurar água!

Harmolh, sem supor o que estava para lhe acontecer, não percebeu a aproximação ardilosa de Loth, que o pegou com uma chave de pescoço e cravou a haste venosa em sua garganta. O espinho penetrou a traqueia de Harmolh e ele caiu. Loth sentou-se numa pedra e assistiu à morte agonizante do jovem. Uma morte cruel, pois quanto mais força Harmolh fazia para respirar, mais o veneno se espalhava por seu corpo, paralisando seus músculos e dificultando ainda mais a respiração. Com os dedos, ele tentava retirar o que lhe penetrara o pescoço, mas suas mãos tremiam e a toxina já lhe causava confusão mental. Olhos arregalados, boca aberta num esforço hercúleo de encontrar um pouco de ar que abrandasse seu sofrimento. Loth assistia àquela cena com um ar imperturbável e, demonstrando perversidade, se debruçou sobre Harmolh para pronunciar:

— Você nunca mais vai atrapalhar minha vida. Você não vai fazer falta para ninguém. Eu te odeio, Harmolh!

Ao se certificar de que Harmolh estava morto, Loth arrastou o corpo para um buraco no rochedo e o cobriu com pedras. Fez o mesmo com a entrada do buraco, fechando tudo muito bem e não deixando rastros do seu feito. Percebeu que o dia começava a despontar e se afastou dos rochedos. Quando entrou na trilha, deu de cara com uma serpente de duas cabeças em posição de bote, bloqueando o caminho. Ela, em riste, com uma altura muito superior à sua, tinha grandes olhos verdes em uma cabeça e vermelhos em outra. Era possível ver fogo em volta dela. As enormes cabeças da víbora eram assustadoras, suas mandíbulas poderiam abocanhá-lo em pé de uma única vez. Loth se viu refletido nos olhos da serpente e percebeu que tinha aborrecido os deuses.

Amedrontado, fugiu, retornando ao seu grupo por outro caminho. Precisava chegar antes que alguém notasse sua ausência. Observou que ninguém tinha acordado ainda. Se aninhou, suspirou e logo se esqueceu do medo da serpente. Dormiu satisfeito por ter tirado a vida do seu oponente. Quando todos começaram a despertar, agiu como se nada soubesse e ajudou quando começaram a procurar por Harmolh, não deixando que ninguém fosse para os lados do rochedo para garantir que seu feito não fosse descoberto. As lembranças da víbora na floresta voltaram à sua mente. Depois de vários dias sem encontrar Harmolh, o grupo decidiu continuar sua jornada. Loth se sentiu vitorioso.

Apesar de habituado às dificuldades, o pequeno grupo temia a morte demasiadamente. Tinham de sobreviver para se tornarem imortais em seus descendentes, mas as sombras da floresta lhes pareciam fantasmas, divindades atrozes a lhes devorar o ânimo, mas nada mais eram do que suas próprias angústias de percorrer um caminho incerto. A luz do sol por vezes atravessava as copas verdes das árvores, lembrando a todos a aridez que os aguardava fora da mata e provocando em alguns o desejo de desistir, parar, entregar o espírito aos deuses e o corpo às profundezas do solo úmido e frio. Mas em alguns deles, no entanto, a determinação para avançar, vencer os medos, a insegurança e os próprios limites até encontrar a nova terra e fazer a própria sorte era algo imbatível. Sentiam-se no comando de seus destinos, senhores de sua trajetória, não importando o sofrimento ou a angústia. Dores do corpo e da alma, para esses indivíduos, estavam com os dias contados. Eram apenas reveses pelos quais tinham de passar e que não durariam para sempre.

◆——《 · 》——◆

O êxodo durou um bom tempo, aproximadamente um ciclo inteiro das quatro estações, e quando não lhes restava mais nada a não ser esperança, continuaram seguindo perpendicularmente ao nascer do sol até a região próxima ao lago de Texcoco, onde foram recebidos com hospitalidade por um rei local, de nome Tenoch, reconhecido por sua bondade e seu acolhimento.

O rei ficou comovido com o sofrimento daquelas pessoas que chegaram à míngua e as acolheu por vários dias, até que recuperassem suas forças antes de continuar a caminhada. A seca também atingira seu reinado, mas cinco poços com reserva de água e um racionamento de alimentos fielmente respeitado garantiam a sobrevivência de todos. Depois de recuperado, o grupo retribuiu a ajuda trabalhando para o rei. O anfitrião observava-os durante a acolhida e percebeu que um jovem sempre se esquivava do trabalho pesado, preferindo as tarefas mais simples, não ajudava os mais velhos e doentes e desaparecia em vários momentos do dia. O soberano, então, pediu a um homem de sua confiança para vigiar o jovem e acabou descobrindo que o rapaz se refugiava nas colinas para não trabalhar com os demais. O rei guardou essa informação para si e, apesar de considerar ruins os hábitos do jovem, preferiu não julgá-lo por isso.

Ocorre que a filha adolescente do rei, Maya, tinha se interessado por Loth assim que pôs os olhos nele. Ao notar o interesse da filha do rei, Loth se aproximou de um dos pajens de Maya e comunicou seu desejo de encontrá-la longe dos olhos do pai. Loth viu ali a oportunidade de cair nas graças do rei. Então, mudou de comportamento para convencer o soberano a aceitá-lo como pretendente de sua filha. Tornou-se solidário, atencioso, partícipe. Não um simples colaborador, mas alguém que assumia tarefas árduas e demoradas. Loth foi observado dias a fio pelo anfitrião, que ficou surpreso com a mudança de atitude do jovem. Maya, cada vez mais apaixonada, pediu ao pai permissão para se casar com Loth. O rei, que não sabia dizer não para a filha, vendo que o rapaz parecia ter se tornado uma pessoa melhor, mandou chamá-lo. Como Loth não tinha família e já tinha idade suficiente para assumir certas responsabilidades, convencionaram a celebração do casamento, que ficou marcada para dali a três dias.

O Império entrou em festa. Os festejos começaram naquele instante, e a jovem adolescente foi preparada para suas núpcias. Como parte do ritual, quatro nobres conduziram a filha do rei ao templo cerimonial. Ela estava radiante, toda enfeitada para seu noivo. Loth não acreditava em tamanha sorte. Os deuses o haviam perdoado, afinal? "Sem dúvida", pensava ele, que almejava ocupar o trono do rei em breve.

Do outro lado do castelo, Loth também era preparado para a cerimônia. A ele foram dadas as melhores comidas, massagens, descanso, trajes especiais.

A noiva estava radiante, linda, como se espera de uma princesa. A tradição daquele reinado era entregar a noiva ao noivo e seus familiares para ser conduzida ao lugar das núpcias. Loth não tinha ninguém. Três homens bateram à sua porta e ele abriu. Estava nitidamente em transe, como que enfeitiçado. Parecia não agir por seus próprios desígnios. Acompanhou os três homens e foram em busca da noiva, muito antes do horário marcado. A jovem, que já estava pronta, foi entregue a eles. Quando chegaram ao local do casamento, os sujeitos beberam e dançaram em torno da princesa. Acenderam uma fogueira e continuaram a beber e festejar. Loth se dirigiu a ela e a golpeou com uma lâmina no peito. Um golpe fatal.

Quando o rei chegou com os convidados, tudo o que viu foi Loth dançando com a pele de sua filha sobre a própria cabeça. Horrorizado, ele gritou:

— Maya!

Então, caiu em prantos sobre o corpo escalpelado e sangrante da filha. Nesse momento, Loth saiu do transe em que estava, sem compreender o que tinha acontecido. Olhou para a fogueira e teve visões da serpente de duas cabeças chamando seu nome.

O rei mandou que seus homens lançassem Loth naquele fogo. Ele clamou por piedade, alegando estar enfeitiçado, mas o rei não lhe deu ouvidos. O soberano levou Maya em seus braços para ser preparada para um sepultamento digno, enquanto Loth gritava por misericórdia.

Em uma única noite, conduzi o espírito de duas pessoas completamente diferentes. Para o éter glorioso, uma inocente, ingênua e doce. Para as trevas eternas, uma perversa, mesquinha e invejosa. A chama crepitava, alimentando-se dos males de Loth. O rei ordenou ainda que os astecas deixassem suas terras imediatamente. Lançou sobre eles uma maldição. Seus descendentes não teriam paz nem constituiriam uma família feliz, até que surgisse um amor verdadeiramente generoso.

Os andarilhos fugiram para o lago de Texcoco e se refugiaram em uma ilha pantanosa onde o chefe asteca finalmente avistou a águia devorando uma serpente em cima de um cacto. Ali fundaram Tenochtitlán. Dessa descendência nasceu Ollin.

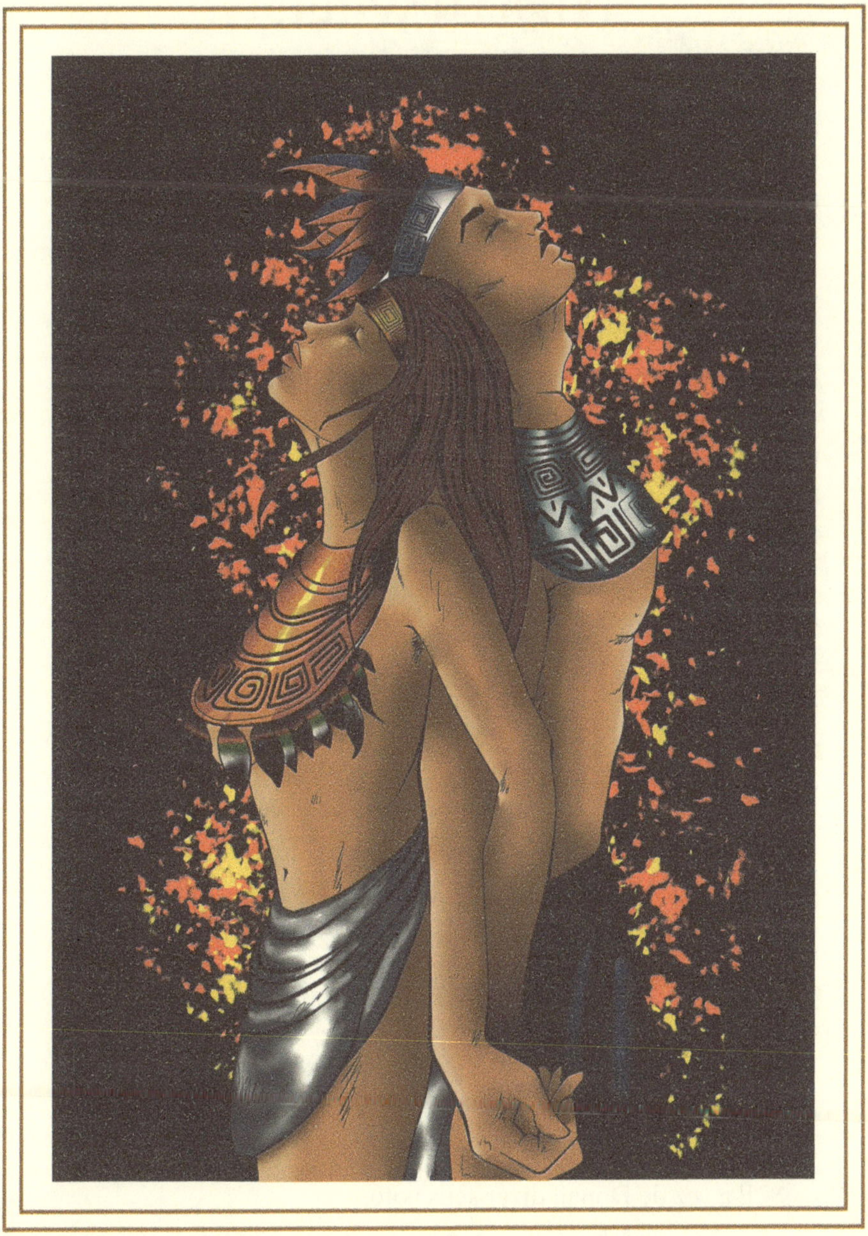

VIDA EM COMUM

Ollin pede Donaji em casamento. Eles se unem numa cerimônia discreta, às margens do lago Hauatl, logo depois do pôr do sol. A lua, bem alta no céu, ganha um halo colorido. É o fim da maldição de Tenoch. Entre os astecas, a poligamia é aceita quando o homem pode dar às suas mulheres as mesmas condições econômicas. Mas os relacionamentos monogâmicos são vistos com mais valor, tanto que o adultério é punido com a morte, para o homem ou para a mulher. Ollin promete a Donaji uma vida de amor dedicada a ela e aos filhos que virão. Ele, segurando as mãos de sua amada e olhando apaixonadamente em seus olhos, diz:

— A vida a dois é um investimento de enorme valor ético. Contamos um com o outro para edificar nosso lar, nossos bens, mas não só isso. Construímos nossa honra, nossa imagem, nossa dignidade como casal. É uma dedicação ao investimento afetivo. Nenhum de nós pode quebrar esse elo, porque o outro ficará perdido. Não coloquemos este amor à prova. Devemos zelar por ele a todo instante. Eu confio na sua palavra e dedicação, e você em mim. O proceder de um, ainda que distante dos olhos do outro, interfere no conceito social dos dois. Por isso, desde o momento em que coloquei você em meu coração, deixei de ser um menino que corre em busca de divertimento e aventuras. Minhas atitudes são acompanhadas de reflexões sobre ética, coerência, consequências. Tomo você como minha mulher, e que nem os deuses consigam nos separar!

É a vez de Donaji dizer seus votos:

— Eu o recebo, Ollin, como meu amor e pai de nossos futuros filhos. Eu honrarei seu nome e a nossa casa. Enquanto for digno de mim, o protegerei e tornarei respeitável sua imagem, e seus descendentes falarão orgulhosamente de você.

Começam a vida em comum: ele como artesão de cerâmicas e palhas e ela como parteira. Dessa união nascem dois meninos.

RITUAL DO AMOR E DA FERTILIDADE

O povo de Huacán é expressivamente devotado a nós, deuses, e têm relação profunda com os elementos da natureza, quais sejam a água, a terra, o ar, os astros, o fogo, assim como os rituais de sacrifício, celebrações e colheita. Creem que gerar muitos filhos, apesar dos custos que isso representa, aumenta a possibilidade de nascer um sábio ou um virtuoso místico que salvará toda a família.

São indivíduos afeiçoados ao sexo também, não apenas como uma prática da qual gostam (e gostam muito), mas principalmente por entenderem que o Universo concentra a energia masculina e abarca a Terra, que é feminina. Compreendem ser do agrado dos deuses a prática dos prazeres corporais, e acreditam que é por meio do orgasmo masculino que tudo vibra, reage e vive, graças à pujança do homem viril, sábio e valente. Pensam que as mulheres têm atributos de beleza, delicadeza e sedução para serem repositórios de seus descendentes, e o dever delas é resguardá-los. Tolinhos! Dou de ombros. O tempo lhes dirá que a mulher é muito maior que tudo isso.

O grande ritual do amor e da fertilidade acontece uma vez ao ano, em noite sem lua, quando as estrelas salpicam o céu com milhares de pontinhos luminosos. É tradição o imperador abrir a grande festa saudando o deus Quetzalcoatl.

A festa começa a ser preparada muito tempo antes, com a colheita de ervas especiais, ao orvalho da madrugada numa noite de lua cheia. Essas ervas têm propriedades que estimulam o desejo sexual de homens e mulheres, o que para eles corresponde à fertilidade. É bem verdade que, algumas semanas após o ritual do amor e da fertilidade, muitas mulheres festejam ao descobrir que estão grávidas, mas nós, deuses, sabemos que fertilidade e libido são coisas bem diferentes, pois há mulheres que são inférteis e, ainda assim, vorazes pelo sexo.

Somente aquelas que já são mães podem fazer a colheita das ervas, sob pena de castigo divino pela desobediência. Os sacerdotes escolhem nove mulheres, jovens, bonitas e dignas da missão. As selecionadas são preparadas por três semanas para fazer tudo pelo pleno desenvolvimento do seu povo. Na primeira semana, param de comer carne e mantêm relação sexual diariamente, se cada marido assim desejar. Na segunda semana, o casal deve se abster do sexo, como reconhecimento do poder dos deuses, e a dieta delas se restringe a grãos. Na terceira e última semana, essas mulheres comem o que quiserem, devem permanecer na alcova, nuas, e dão a seus maridos um preparado para torná-los sexualmente insaciáveis, cultuando, dessa forma, os deuses do amor e da fertilidade. Os casais fazem sexo quantas vezes e da forma que desejarem. (Não sei para que tanta bajulação!) Passadas as três semanas, os lençóis dessas nove camas são reunidos em uma lavagem coletiva, e toda água é recolhida e despejada no cume do monte onde crescem as ervas especiais, para que os resquícios do ato sexual propiciem a fertilidade da terra.

Depois de trinta dias, chega o momento da colheita. Na metade da noite, as nove mulheres, representando as nove luas da gestação, usando uma túnica e com os cabelos presos, sobem em direção ao cume. Levam animais e cestos. No meio do caminho, param no lago Hauatl, soltam os cabelos, banham-se, perfumam-se e seguem completamente despidas para a colheita. Quando lá chegam, o orvalho revela a beleza e o frescor das ervas, e as jovens mulheres cumprem seu propósito como ninfas na floresta. Como em transe, elas se abaixam para apanhar as plantas, e esse roçar de seios, glúteos, coxas e cavidades íntimas sobre a vegetação é também um rito sexual em campo aberto que alguns deuses gostam de apreciar. (Patético... Eu prefiro cenas com mais emoção, como a agonia da morte, claro! Adoro lixar as unhas enquanto espero pelo último suspiro.) Elas também se deleitam com a colheita e com esse breve momento de liberdade. Ao retornarem da colina, vestem-se e, com os cestos cheios e o espírito repleto, encontram os sacerdotes, a quem entregam toda a coleta.

Terminada a sublime delegação, as mulheres voltam à rotina de seus lares, sem quaisquer benefícios. As plantas são levadas ao interior do palácio ainda nos cestos, os quais são colocados sobre um patamar elevado de pedra nobre no pátio maior, e não são tocadas por mais ninguém. É nesse mesmo lugar que são colocadas as crianças recém-nascidas para serem ungidas com óleo purificado, para que tenham saúde e abastança. Ao redor dos cestos, os sacerdotes recitam seus pedidos e clamores aos céus, conclamam sol e lua, brisa e calor, chuva e terra, corpo e alma, dia e noite, pássaros e florestas, desejo e amor a despejarem sobre a colheita suas essências e energias.

A cerimônia acaba com os cestos firmados novamente no lombo dos animais, que seguem em cortejo rumo à periferia, onde reside um feiticeiro que sempre atende aos pedidos do imperador com a promessa de não ser incomodado pelos militares. Esse feiticeiro, então, invoca as divindades fazendo um círculo de fogo no chão, mantendo os cestos no centro a uma distância segura para as ervas desidratarem devagar.

◄— «« · »» —►

Enquanto isso, nas proximidades do palácio, o povo prepara a grande festa. Tendas muito enfeitadas aguardam a chegada das ervas para o chá da fertilidade, distribuído a todos os adultos. O soberano se vê como um benemérito por promover esse ato de bondade para com seu povo.

Homens e mulheres ficam em frenesi por ocasião da festa, que só acontece em virtude de três elementos fundamentais: a interferência dos deuses, o chá e o óleo de Nictexa, a flor rara do vale perto de Huacán. Essa flor de aproximadamente cinco centímetros é negra e sua forma lembra o encontro dos dois órgãos sexuais, o feminino e o masculino. Sua florada não acontece todos os anos, o que a torna bastante cobiçada. O óleo extraído dessa flor é bastante perfumado e hidratante para a pele humana. Seu olor estimula nos homens e nas mulheres um

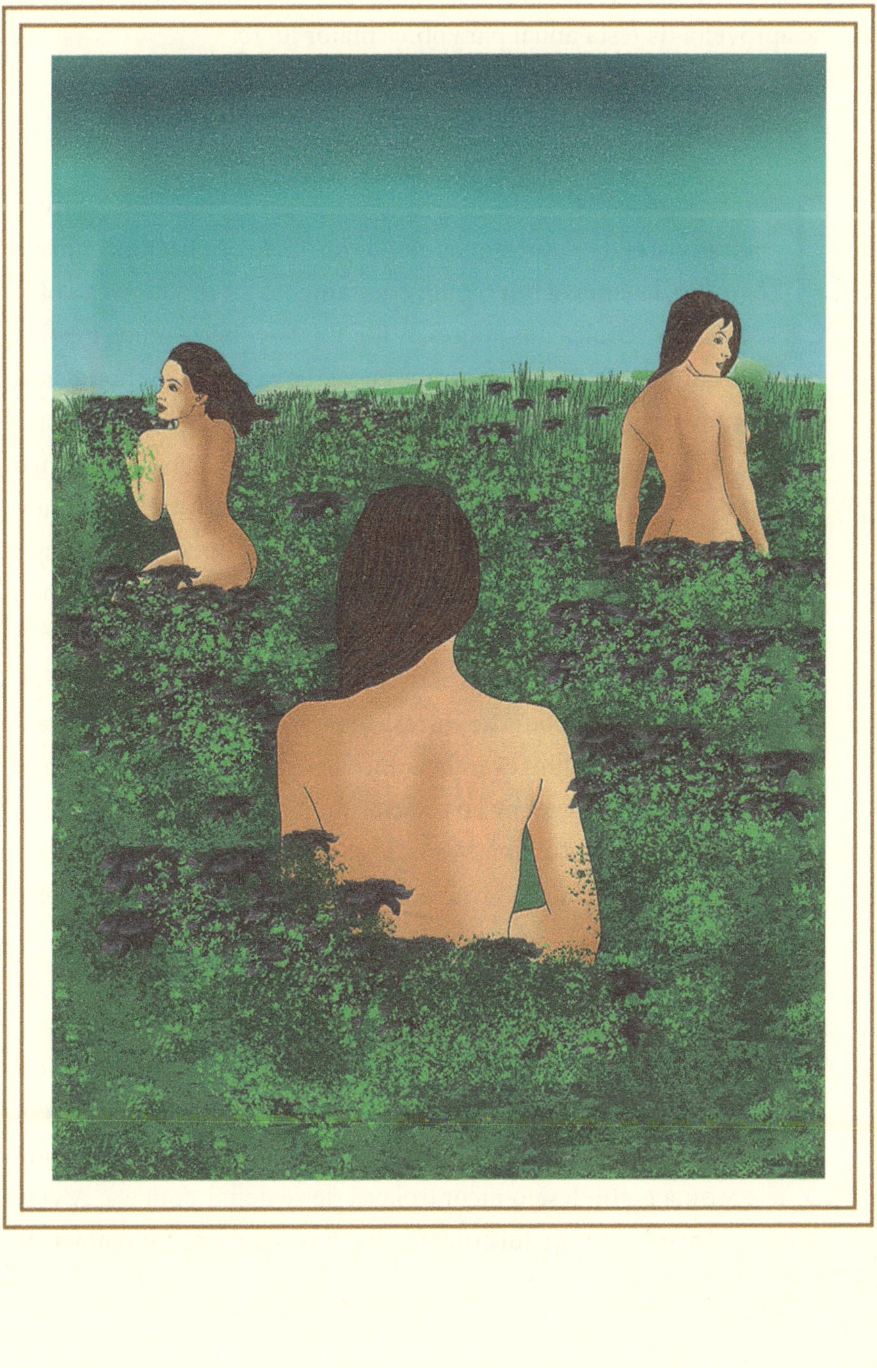

inigualável desejo sexual, e por isso é vendido a peso de ouro. Tanto a colheita da flor quanto a extração do óleo de Nictexa estão sob o poder do palácio, que mantém o produto fora de comercialização e se aproveita da festa anual para obter maior lucro.

◆—《·》—◆

Tempos atrás, quando houve a primeira florada, os nativos extrativistas descobriram os efeitos da Nictexa e fizeram enorme barulho, levando a um rápido esgotamento da produção do óleo e despertando a cobiça dos nobres. A flor foi descoberta numa manhã, num dia comum de caça. Ao subir uma pequena colina, os homens se assustaram ao notar que a relva estava coberta por algo que formava uma espécie de tapete negro e, ao se aproximarem, se inebriaram com o perfume e a beleza sem igual daquelas flores. Correram à vila, pegaram seus cestos, voltaram ao campo e colheram tudo o que puderam. A maior parte foi pisoteada, dado o afã descontrolado dos comuns. Ficaram tão encantados que não perceberam o quanto a beleza da flor era fugaz e que aquela delicadeza guardava um poderoso estimulante sexual. Alguém, não se sabe quem, chamou-a de Nictexa e assim ficou. As flores passaram de mão em mão, as mulheres enfeitaram os cabelos, os vestidos, fizeram pulseiras e colares. Chegaram ao palácio, impressionaram os sacerdotes, encantaram as nobres, mas as flores logo feneceram.

Donaji, a mulher de Ollin, quando pegou um punhado de Nictexa, foi para casa, aqueceu água e resolveu colocar as flores em infusão. Meia hora depois, notou que havia se formado um líquido viscoso na superfície que não daria para beber. Ao sentir aquele aroma inebriante, decidiu tomar um banho para, em seguida, passar aquela essência pelo corpo. Sua pele ficou aveludada, com maciez e brilho incríveis. Quando Ollin chegou e a encontrou no leito tal qual uma deusa, sentiu aquele aroma e um desejo incontrolável de se deitar com ela. A vida sexual entre eles sempre foi ardente, mas havia um estímulo novo ali.

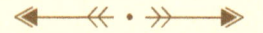

◆—《·》—◆

DONAJI

Ollin

Donaji é uma linda mulher. Corpo longilíneo, curvas convidativas, cabelos longos. Ela e Ollin têm uma conexão perfeita e vivem em harmonia física, intelectual e sexual. Ele tem músculos firmes, olhos puxados, pele âmbar. Usualmente, se satisfazem com muita paixão e erotismo. Nessa noite não é diferente. Seus corpos se entrelaçam e, entorpecidos pelo desejo, se beijam. Ele a toma segurando-a pela cintura. Donaji, nua sobre ele, corre os lábios por seu corpo e, com a boca, como quem saboreia um fruto suculento, dá a ele um prazer extremo. Ele se entrega ao deleite oferecido por ela, que desliza sobre seu corpo como uma serpente e com seus mamilos entumecidos acaricia o peito de Ollin. Ela suga os dedos dele com lascívia. Ele mordisca todos os seus botões, e se entregam sem limites. Sem pressa, Ollin se encaixa nela em um vai e vem molhado e quente. Os dois, completamente entregues ao prazer, numa dança perfeita, giram, se prendem, riem e se dão intensamente. Seus músculos tremem, ela geme e se contorce, arranhando as coxas viris do amante. Então, o êxtase. O sexo termina com os corações de ambos acelerados.

Amanhece o dia, os dois ainda nus e emaranhados se olham com admiração mútua. Sobre a cabeceira da cama, a janela que dá para a rua revela os primeiros movimentos dos passantes.

A casa deles é constantemente vigiada a pedido de Tonauach, que tem interesse em saber com antecedência cada passo que o artesão pretende dar. Um guarda, ao passar pela janela, percebe que o casal conversa. Ele se detém para escutar o que dizem:

— Estou tomado por você, Donaji. Você não sai de mim. Que feitiço foi esse que você usou?

— Não é feitiço, Ollin. São as flores negras encontradas hoje. Me deram algumas e eu as coloquei em água quente para fazer um chá, mas a água ficou pastosa e não era boa de beber. Como tinha um perfume agradável, resolvi passar no corpo, e foi esse cheiro e essa maciez que nos deixaram com tanto desejo, embora nós dois nunca tenhamos precisado desse tipo de artifício.

Os dois riem.

O guarda sai às pressas para contar o que ouviu a Tonauach, que imediatamente vai ao imperador para convencê-lo a tirar proveito econômico das flores. Tonauach sente ciúme de Ollin, pois acredita que ele conta com proteção especial dos deuses. A intenção de Tonauach é enfraquecê-lo, tirando de suas mãos uma descoberta tão importante. O soberano ordena que os comuns sejam reunidos na frente do palácio e, por meio de um mensageiro, comunica:

— Segundo ordem do imperador, a partir de hoje ninguém poderá colher as flores negras, exceto aqueles por ele autorizados. Também é proibido receber, entregar ou guardar as flores, mesmo que tenham sido colhidas por alguém com permissão. Somente pessoas expressamente autorizadas pelo palácio poderão manipular as flores. Eventuais produtos feitos com as flores somente circularão após o devido consentimento para sua comercialização. Os que desobedecerem serão punidos com rigor, podendo pagar com a morte.

Balde de água fria! O povo não entende por que tamanha severidade por tão pequenas flores, que só foram usadas para enfeitar os cabelos, mas Ollin pressente o perigo e corre para casa. Quando chega, encontra tudo revirado, cerâmicas quebradas e Donaji no chão, aos prantos, sem ferimentos, agarrada aos filhos. Capangas tinham confiscado o óleo e o entregado a Tonauach, que exigiu deles absoluto segredo.

Assim que sente o aroma do óleo de Nictexa, o chefe do exército é tomado por novas sensações, que elevam seu nível de testosterona e fazem seus músculos quererem pular para fora de seu corpo. Tonauach vai até seus aposentos onde repousa Yari, sua mulher, e começa a passar o óleo sobre ela, que acorda de súbito.

— Fique quieta! — exige ele. — Já passou do momento de me dar outro filho. Que venha uma menina agora!

Tonauach não é nem nunca foi generoso. Seu desejo é somente a reafirmação do seu poderio. Seu casamento se deu por mera conveniência financeira e social. Nunca houve qualquer consideração ou sentimentos para com Yari. Ele a subjuga de forma bruta aos mais grosseiros movimentos, causando-lhe ferimentos por mera estupidez e torpeza.

Tonauach

O óleo de Nictexa rende por dez dias, e em todos eles Tonauach a possui de forma insana, a ponto de todo o palácio comentar que eles não saíam do quarto. Tonauach manteve o produto guardado próximo à sua espada.

Apesar da lasciva, sua mulher não engravidou. O óleo de Nictexa, na verdade, estimula o desejo sexual, mas não altera a fertilidade e é motivo de muita alegria e de muitas lágrimas também.

◆—«•»—◆

No ano seguinte, a florada não acontece, o que causa estranheza no povo e nos palacianos, que deduzem terem zangado os deuses. Por dias seguidos os guardas vasculham a área onde florou a Nictexa, mas não há nenhum indício de que ela vai aparecer novamente. Levaram a informação ao imperador, que os ordenou percorrer uma área duas vezes maior na esperança de que a Nictexa tivesse florescido em outro lugar, mas nada encontraram.

O mesmo acontece no ano seguinte. A Nictexa desaparece. Tonauach, sentindo-se derrotado pelos deuses por sua mulher não ter lhe dado a menina que tanto queria, irrita-se e convence o soberano de que é preciso fazer um sacrifício humano para agradar as divindades. Montezuma reúne os sacerdotes e outros consultores e determina que Tonauach escolherá um dos prisioneiros de guerra para ser sacrificado. Tonauach, porém, complementa:

— Se a flor negra está relacionada à fertilidade do nosso povo, é melhor que o sacrifício seja feito com uma criança de aproximadamente cinco anos.

O sacrifício humano é comum entre aquele povo, mas não com crianças. Todos se olham com perplexidade, assombrados pela perversidade de Tonauach, que completa:

— O infante não precisará morrer. Mas terá de subir, sem auxílio, a escadaria da Pirâmide do Sol. A criança chorará, porque as pedras estarão bem quentes. Enquanto sobe, suas lágrimas serão colhidas por duas virgens e depois despejadas no local onde as Nictexas floriram.

É importante que essa criança seja descendente de alguém especial aos olhos das divindades, pois certamente isso agradará bastante aos deuses. Alguém cujo pai ou mãe detenha bastante conhecimento e tenha o respeito do povo.

Tonauach é embusteiro e seu objetivo é conduzir a mente dos sacerdotes para o filho mais novo de Ollin. Sua estratégia dá certo, e não demora para mencionarem Tuareq. De fato, lágrimas infantis são uma boa opção para sensibilizar os deuses. Um mensageiro vai até a casa do artesão para comunicar a decisão do Conselho. O casal se abraça e chora. Sabe que é uma honra se entregar em sacrifício aos deuses, mas o pequeno Tuareq só tem cinco anos de idade.

Unfertl fica à espreita pelos corredores do palácio e aborda Tonauach, pois quer uma paga maior pela sabotagem a Ollin na Prova dos Deuses. O sacerdote ameaça entregá-lo a Montezuma se não lhe der ao menos uma pepita de ouro. Tonauach concorda em pagá-lo e combina de encontrá-lo no dia seguinte, no começo da tarde, no penhasco do Sumidero, para que não sejam vistos. Quando se encontram lá, o dia está cinzento e venta forte. Tonauach chega e Unfertl já o aguarda com ansiedade. O militar coloca as mãos sobre os ombros do sacerdote, caminha com ele pelo platô e lhe diz:

— Já faz tanto tempo, Unfertl. Achei que havia se esquecido disso. Além do mais, eu já lhe paguei.

— Mas eu estou precisando. Minha mulher vai ter mais um filho. Preciso de recursos.

— Está vendo tudo isto, Unfertl? — diz Tonauach, indicando com a mão o horizonte. — Isto não é nada comparado a uma amizade fiel e devota. Você fez o que pôde. Reconheço. Tome aqui sua pedra.

Unfertl sorri. Caminham até a beirada do desfiladeiro. Ele abre o saquinho de couro e vê que dentro há pedra comum.

— Está zombando de mim? — questiona o sacerdote.

— Aqui está o que você merece, seu incompetente! — diz o militar, empurrando-o penhasco abaixo.

O vento forte faz o corpo de Unfertl bater no paredão muitas vezes até cair no Sumidero, de onde eu recolho sua alma. Esse é meu trabalho.

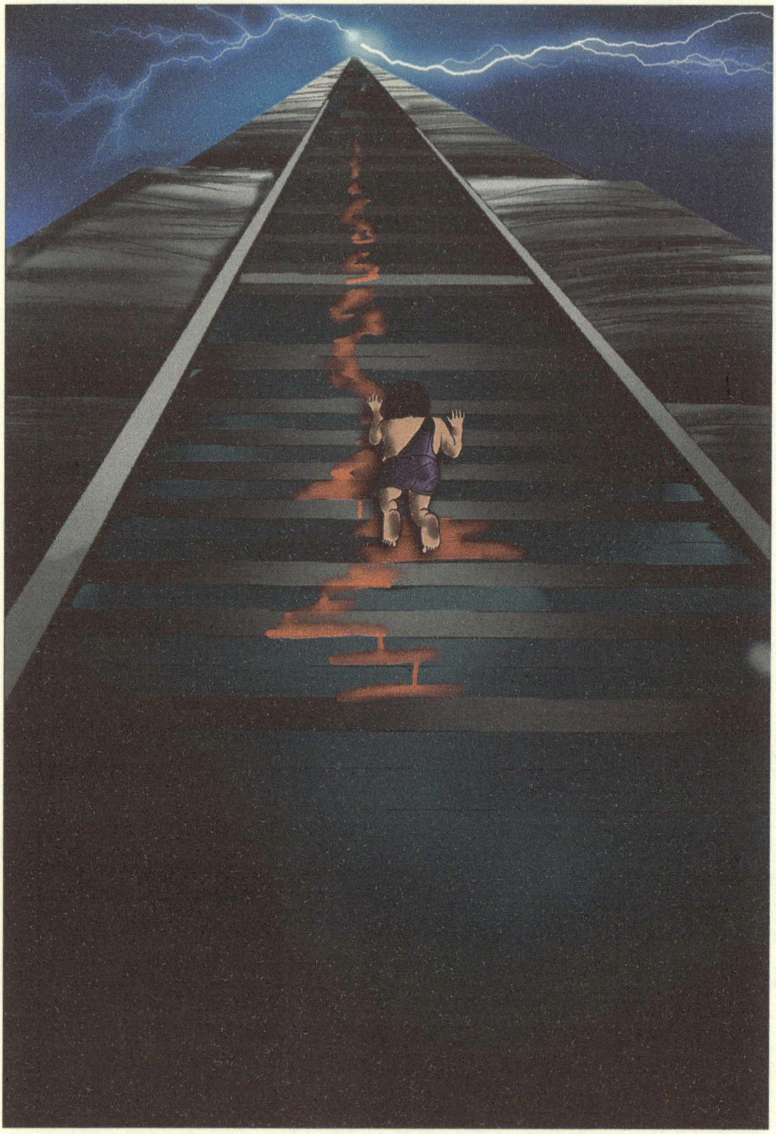

O SACRIFÍCIO DE TUAREQ

A Pirâmide do Sol é um templo sagrado em Huacán. Construída sobre uma fonte natural que brota em uma galeria profunda, toda energia do templo vem do movimento da água subterrânea, assim como do movimento do sol sobre as arestas da construção. Projetada com duzentos e quarenta e oito degraus e setenta e cinco metros de altura, a pirâmide é um imenso altar onde nossos devotos manifestam sua adoração extrema, imolando guerreiros, jovens e prisioneiros, a fim de obter alimento, vida longa e outras benesses divinais.

Os rituais de sacrifício humano são parte da cultura deste povo, e o tom vermelho está impregnado em cada degrau do templo por onde escorre o sangue dos imolados. A multidão se reúne para assistir ao holocausto e à exibição do coração que, arrancado do peito do eleito, pulsa ainda quente na mão do torturador.

Alguns são prisioneiros mantidos no cárcere para duelar entre si até à morte. O vencedor é levado para ser sacrificado aos deuses. Ser imolado é uma honra para o prisioneiro, pois a morte pela derrota é vergonhosa, enquanto entregar a vida em oferenda aos deuses é a oportunidade de se tornar imortal. Outros são condenados por falta grave contra as ordens do imperador ou por traição, então se aproveita a penalidade para ofertar a vida do sujeito à divindade. Há sacrifícios para acalmar a fúria dos deuses, que os comuns acreditam trazer seca e fome, doenças, miséria, invasões para seu povo. Mas não pense que o medo de ser imolado não paira sobre as pessoas. Dor e agonia estão presentes. Exceto prisioneiros e condenados, que não têm dignidade para bem morrer, os demais sacrificados recebem, momentos antes da execução, um preparado alucinógeno que os tira da realidade.

Assim, sobem cada degrau da pirâmide sem entender que estão indo para o abate, sem se darem conta de que seus corpos serão cruel e friamente abertos à vista de todos.

Nesse caminhar para o holocausto, os comuns que assistem ao evento fazem um verdadeiro alarido, jogam flores, cantam, uivam, dançam, tocam sem parar. Formam um corredor humano que se alonga por toda a escadaria da pirâmide. No ápice, há um grande vaso com o fogo sagrado, que queima dia e noite, simbolizando o poder dos deuses. Quando a chuva apaga o fogo, trazem uma tocha com a mesma labareda que é mantida no palácio. No ápice da pirâmide há um grande altar de magma petrificado onde os escolhidos são colocados deitados e amarrados. O abdome é aberto por uma adaga com um corte profundo, expondo as vísceras. A mutilação começa no umbigo e sobe até as costelas. Nesse ponto há um órgão um pouco mais resistente e, para perfurá-lo, é preciso uma estocada mais forte com a lâmina. A vítima se contorce e geme, pois o entorpecente lhe tira a consciência, porém não uma dor tão lancinante. Com o golpe, um sopro se libera do corpo estrebuchante. O coração é arrancado com as mãos do algoz e, ainda pulsando, erguido ao alto em oferenda. O sangue jorra, o sacrificado se debate e logo depois silencia. O coração é lançado ao fogo sagrado e o corpo jogado escada abaixo. Para o povo, um espetáculo imperdível. Para mim, um fato banal, entediante até! A multidão se engalfinha por aquela carcaça, e há até quem coma suas partes por acreditar que, ao ingeri-las, passará a ter eventuais virtudes do imolado.

É para esse palco, esse santuário, que o pequeno Tuareq está sendo trazido. O sol explode em calor desde cedo, tornando as pedras da pirâmide uma chapa fervente. Ollin e Donaji se desesperam diante do sacrifício que o menino será forçado a fazer. Ela diz a Ollin que fugirá com Tuareq e pede que ele tome conta de Yareth, o filho mais velho. Ele a convence a ficar, dizendo que vai levar o menino para se esconder na floresta. Os dois saem às pressas levando uma pequena sacola com água e comida. Se embrenham no mato denso. Ollin sabe que não poderão fugir por muito tempo, mas fará o que for preciso por seu filho. Quando a guarda chega à casa do artesão para buscar Tuareq e não o encontra, faz buscas na mata. Ollin e o filho ouvem os guardas que se aproximam. O menino lhe pergunta o motivo pelo qual estão ali e seu pai lhe diz:

— Você terá de dar uma grande prova aos deuses de sua coragem, força e determinação. Se eu pudesse, iria no seu lugar.

Ollin aconchega Tuareq em seu colo.

A guarda os encontra retraídos e eles não oferecem resistência. Ollin é levado a Tonauach, que decide deixá-lo na prisão, enquanto Donaji é forçada a levar o filho à Pirâmide do Sol. Ollin se sente culpado pelo flagelo do filho e, agora preso, impedido de estar ao seu lado, pensa que o garoto não resistirá.

◄——《· 》——►

O menino é adornado com cordões perfumados, óleo e pinturas no rosto. Não compreende pelo que vai passar, mas está bastante assustado. Reverberam os tambores. Estrondos retumbantes ecoam longe. Donaji, esvaindo-se em lágrimas silenciosas, leva os dois filhos pelas mãos enquanto conversa com Tuareq, dizendo a ele para não esmorecer. O menino anda agarrado à mãe, os olhinhos amedrontados. Donaji o recobre com seu delicado e incondicional amor de mãe. Cada passo a caminho da pirâmide é como um flagelo em carne viva. Suas pernas bambeiam. A luz do sol derrete as moleiras. À distância e discretamente, Tonauach observa Donaji e os filhos se aproximarem. Ele tem certeza de que a criança não conseguirá cumprir a missão, e assim Ollin será prejudicado.

Donaji e os filhos chegam ao primeiro degrau e são imediatamente separados. Sozinho, Tuareq começa a chorar, e um guerreiro manda que ele engula o choro. Um sacerdote dá a ele as instruções para subir a pirâmide. São duzentos e quarenta e oito degraus para subir sob um sol abrasador. Os degraus fumegam e parecem que vão derreter. Tuareq calça só uma parca proteção de couro, que não resistirá por muito tempo. Ele começa a subir e a chorar. Cada degrau é alto demais para suas perninhas e, antes mesmo de alcançar o primeiro patamar, já está muito cansado e começa a se desequilibrar. O calor o castiga. Ele para e olha para a multidão, tentando encontrar sua mãe. Impossível enxergá-la no meio de tanta gente. Bem atrás dele, dois militares gritam ao seu ouvido para continuar a subir. Com medo, ele tenta se apressar, desequilibra-se e coloca as mãozinhas no degrau que arde. Percebe que desse jeito, apesar da quentura, consegue subir mais rapidamente. Vai subindo, exaurido naquele forno a céu aberto. Chega ao segundo patamar. Faltam três. Sente-se abandonado. Pensa em seu pai e na falta que ele está fazendo agora. O suor lhe escorre pelo rosto como lava. Olha o céu e nenhuma nuvem sequer para amenizar seu sofrimento. Tonauach se surpreende com a bravura do menino, mas acredita que ele não vai aguentar por muito tempo. O pequeno tenta subir o mais rápido possível, mas começam a se formar bolhas em suas mãos. O pelo de suas perninhas arde e repuxa como se frito em óleo. Há uma muralha de degraus à sua frente, feito um monstro invencível. Tuareq se sente só, completamente só. A tira de couro que protegia seus pés derreteu com as pedras quentes. O sol forte confunde seus sentidos. Ouve aves de rapina se aproximando, circulando sobre sua cabeça. Faltam-lhe forças nas pernas, e elas vão raspando nas pontas de cada pedra, ferindo sua carne como navalha. Ele chora e chama incansavelmente por sua mãe, que se desespera lá embaixo, mas é impedida pelos militares de socorrê-lo. Tuareq chega ao terceiro patamar. Está exausto. Já venceu mais de duzentos degraus, mas não tem mais ânimo. Seus pés e mãos têm queimaduras profundas, as bolhas vão estourando e expondo a carne viva. Que sofrimento dessa criança! Nesse momento, sem ter onde se apoiar, o menino cai de joelhos e chora, chora muito.

As virgens que aguardam nesse ponto da pirâmide se aproximam de Tuareq e, com tubinhos feitos de folhagem fresca, colhem as lágrimas do menino. O menino se deita, ignorando a quentura do piso, mas ainda é preciso que ele chegue até o cume para completar o sacrifício. Tonauach pressente sua vitória. A criança não tem mais forças. Ali, sob a bola incandescente do céu, Tuareq ouve a voz de seu pai: "A vida é mais dura quando se chega ao topo. Lute pelo amor e pelo que acredita valer a pena. Ao contrário, não vale a pena viver". Tuareq abre os olhos e vê Ollin a seu lado. Sorri, lhe dá a mão e juntos sobem o restante da pirâmide. Chegam ao topo. Tonauach sai, irritadíssimo! Tuareq se vira e olha a multidão, que vibra incontinentemente. Ele é ovacionado. Quando se volta para seu pai, ele não está mais lá. Graças ao elo de amor com Ollin, ele conseguiu chegar ao topo da Pirâmide do Sol. A criança é carregada nos braços, aclamada como se fosse a própria divindade, então é entregue a Donaji, que o leva para casa para receber todo amor e cuidado.

Diante do resultado inesperado do ritual, Tonauach se vê impossibilitado de pedir a execução de Ollin a Montezuma, pois o povo clama por sua liberdade. Ollin volta para casa.

Ao cair da tarde, as virgens e os sacerdotes levam as lágrimas de Tuareq até a colina onde a Nictexa havia florescido e, invocando a atenção especial dos deuses, aspergem-nas na relva. Meses depois, a florada surge abundante e recobre Huacán, trazendo imensa riqueza ao Império. Muitas mulheres engravidam, incluindo Yari. Tonauach já sonha com a tão esperada filha. A família de Ollin recebe manifestações de apoio popular pelo honroso ritual de Tuareq, mas nenhum gesto de gentileza do militar.

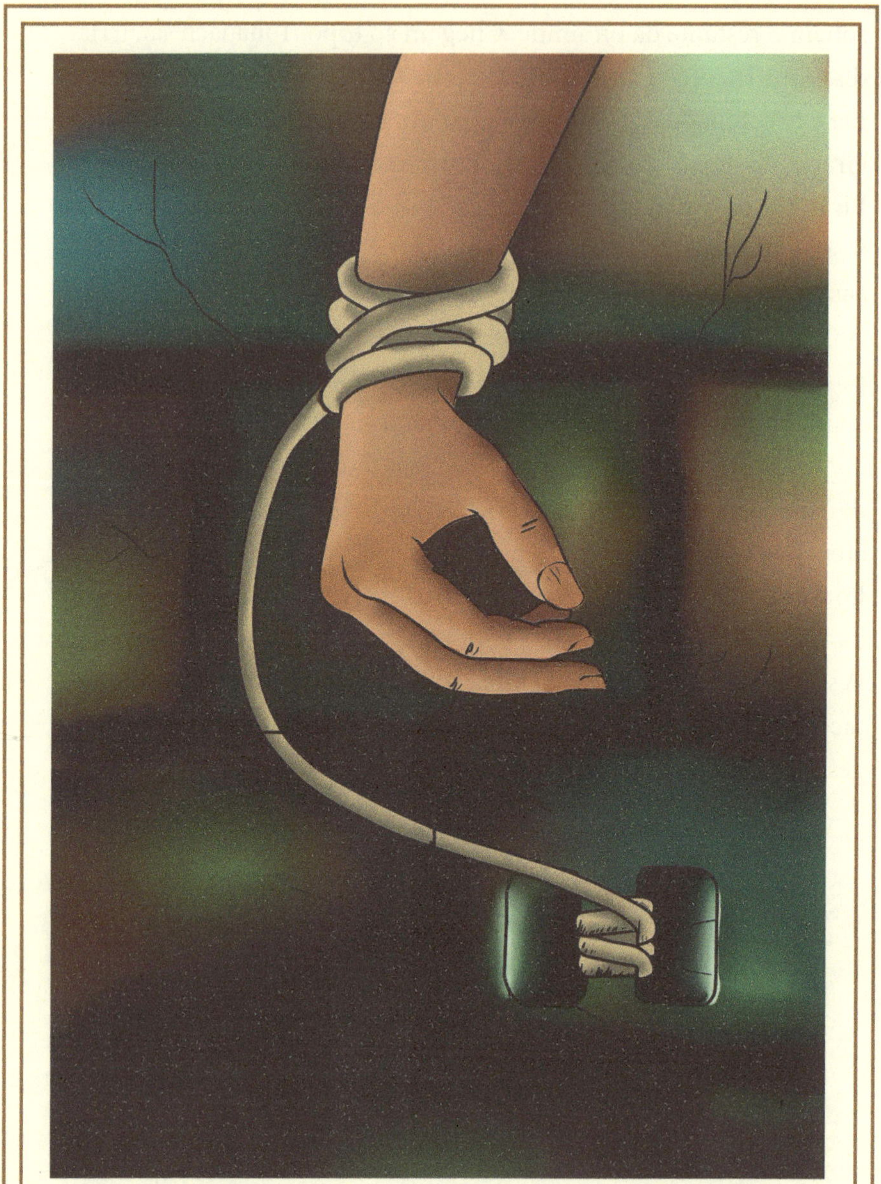

CILADA PARA YARETH

Soldados caminham atentos pelo centro comercial. Bancas feitas com troncos, tabuleiros de madeira e cestos de palha expõem as mercadorias. Animais abatidos ou vivos, frutas, milho fresco ou moído, pimenta, tomate, abóbora, roupas, arcos e flechas, lanças, peles, adornos de penas, pedras e sementes, cerâmicas, ervas curativas, objetos de metal, adagas com lâminas de vidro vulcânico, lança dardos, escudos, colares com dentes ou garras de animais ferozes, chás, comida pronta para consumo. Tem de tudo ali. Praticamente todas as mercadorias são pagas com grãos de cacau e feijões, que são colocados em saquinhos de pano. São os mais caros bens que se pode ter, mas o cacau é o mais valioso. As poucas pepitas de ouro e prata que existem estão nas mãos dos nobres, gerando disputas que, não raro, levam à morte.

Yareth e Yuma agora são adolescentes e perambulam pelo comércio. É manhã de um dia tranquilo. Tonauach não aprova a amizade dos meninos, mas nada pode fazer contra a família de Ollin. O feito de Tuareq na Pirâmide do Sol ainda ressoa no tempo.

Enquanto os meninos circulam pelo local, Tonauach chega para a inspeção de rotina e, ao avistá-los, permanece um tempo observando-os. Eles não percebem que são espreitados. Quando se aproximam de uma das bancas, Yuma nota que o comerciante coloca o saco com grãos sobre um canto da bancada e se distrai, ficando de costas para o objeto. Os grãos de cacau valem muito e por isso são colocados nesses saquinhos, para não se misturarem com outros grãos sem valor. Yuma furta o saco do comerciante, colocando-o por dentro da camisa. Yareth vê, o repreende e pede para ele devolver. O amigo se recusa e disfarça para não chamar a atenção, mas Tonauach assiste a tudo e sequer se move, analisando o embuste de seu filho. Os meninos começam a brigar, então o comerciante percebe que foi usurpado e grita que levaram seu cacau, apontando para eles. Instaura-se a balbúrdia e Tonauach se aproxima.

Os comerciantes agarram os adolescentes e evitam que se evadam. Yuma aproveita o tumulto e a chegada do pai para, sem que ninguém perceba, passar para ele o saco com os grãos. Por um instante, Yareth pensa que tudo vai se resolver, mas o militar joga o saquinho entre os pés dele, que não acredita no que vê. Tonauach afasta o filho e grita aos demais que o ladrão é Yareth. O menino brada por sua inocência e pede para o amigo contar a verdade. Yuma permanece em silêncio, enquanto o pai ordena que Yareth, que só tem catorze anos, seja levado ao cárcere pelos soldados. Essa atitute apática e indolente do jovem não revela apenas a autoridade opressora de Tonauach para com o filho, que teme ser repreendido pelo pai publicamente caso defenda o amigo. Mas, principalmente, demonstra que os sentimentos que nutre por Yareth são torpes, insustentáveis, pois os traços de sua personalidade, que agora se revelam, têm predominância vil.

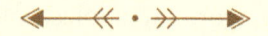

◀◀ · ▶▶

O povo de Huacán sabe que violações como essa são punidas com a morte, mas o que a população não sabe é que Yareth é inocente. Os guardas levam o menino à galeria subterrânea do palácio, onde ficam as celas dos prisioneiros. Não tarda para a notícia chegar a Montezuma, que determina que o suspeito aguarde a sentença de morte preso. O imperador também pede para trazerem os pais de Yareth.

A caminho da masmorra, o jovem não escapa das agressões dos militares, que o chicoteiam e até o apedrejam. Tonauach pede apenas para que não matem o garoto, e assiste à tortura com contentamento. Uma das pedras é grande demais e, quando arremessada, atinge o pé direito de Yareth, ferindo-o gravemente a ponto de ele não conseguir mais andar. O militar interrompe o suplício do garoto e manda que o joguem na prisão. O menino fica muito machucado. Vários hematomas na cabeça, dedos quebrados, feridas abertas. O lugar é escuro, úmido, frio e fétido. Só por estar ali, já é possível morrer de problemas respiratórios. Seu ouvido esquerdo tem um zumbido profundo. Ele aperta com o dedo para tentar diminuir a dor e sente o sangue escorrendo de um corte ao lado da sua orelha. Está atordoado e começa a perder os sentidos. Vê imagens desconexas e ouve confusamente a voz do seu pai e de outras pessoas ecoando em sua cabeça: "É mais conveniente correr riscos com o que é justo do que, por medo da morte e do cárcere, concordar com o injusto"; "Peguem o garoto, ele é o ladrão!"; "Quem comete uma injustiça e, depois, reflete sobre ela é mais infeliz que o injustiçado"; "O gosto de minha morte na boca deu-me ânimo e coragem"; "Yareth, meu filho, tenha cuidado ao andar por aí! Volte antes de escurecer!"; "Só é lutador quem está disposto a lutar consigo mesmo"; "Comporte-se como acredita que és"; "Para mover o mundo, comece movendo a si mesmo".

Os comuns se dividem em opiniões acerca do ocorrido. Muitos acham impossível o menino Yareth ter cometido o furto. Outros pedem seu sacrifício. Ollin e Donaji se desesperam e chegam para a audiência com o imperador. O casal se ajoelha diante do soberano e pede clemência, alegando a inocência do filho. Montezuma chama Tonauach e pede a ele para trazer o comerciante e o saquinho de pano que foi furtado e encontrado entre os pés de Yareth. O militar olha Ollin e Donaji prostrados e sente uma satisfação pessoal, então sai para buscar o comerciante. Quando retorna com o sujeito, o imperador pede que ele lhe conte o que ocorreu.

— Eu estava atendendo as pessoas. Tinha muita gente ali. Eu coloquei o saquinho com os grãos de cacau na bancada e o menino pegou. Ele é um ladrão.

— É este o saquinho? — pergunta Montezuma, mostrando a bolsinha.

— Sim, é esse mesmo!

O imperador abre o saquinho e despeja na mão seu conteúdo. O conteúdo revelado supreende a todos. Não são grãos de cacau, mas de milho. Tonauach se sente pequeno e engole seco. Seu rosto enrijece para disfarçar seu desapontamento. O comerciante gagueja e não consegue explicar sua confusão e por que achava que eram grãos de cacau que estavam no saquinho. O militar ataca:

— Não importa se é milho em vez de cacau. Importa que o menino pegou o que não lhe pertencia.

Ollin, com sua sabedoria, temperança e bom senso, argumenta:

— Se nem mesmo o comerciante sabe o que lhe foi furtado, meu filho pode ser inocente, soberano. Eu lhe suplico que poupe a vida do meu filho!

Montezuma percebe que pode estar cometendo uma grande injustiça contra Yareth, mas também não quer acobertar um provável ato delinquente. Então, diz ao casal:

— Seu filho já foi punido. Ele será libertado na floresta. Se for inocente, os deuses cuidarão para que sobreviva. Permito que vejam o garoto por um breve instante.

◆ « • » ◆

Yareth está sem forças e, no seu íntimo, começa a desejar a própria morte. Eu sinto seu chamado. Então, vou até ele. Coloco-me a seu lado. Está imóvel, mas ainda respira. Fico debruçada no chão, cotovelos sobre a pedra fria, queixo apoiado sobre as mãos. Um estreito facho de luz entra por um buraco no alto da parede intransponível. É somente isso que evita a escuridão total desse lugar. Nem mesmo minha linda plumagem de graúna pode ser admirada num lugar de tamanha treva. O menino resiste. Demora demais para dar o último suspiro. Isso está ficando entediante... Parece lutar pela vida, mesmo sem ter consciência disso. Talvez uma outra divindade lute por ele. Sempre tem quem se meta. Detesto que atrapalhem meus afazeres. Muitos homens, fortes e valentes guerreiros, não aguentariam tanto. Teriam me dado menos trabalho. Ouço pessoas se aproximando. Corro para o canto mais obscuro da cela. Os vivos não podem me ver, mas podem me sentir. O guarda abre a porta da cela. Donaji e Ollin entram e ficam muito consternados com a situação do filho. Abraçam-no com cuidado, beijam, sussurram em seu ouvido que o amam e, num breve momento, Yareth abre levemente os olhos e balbucia:

— Foi Yuma quem furtou o saquinho com os grãos. O pai dele o acobertou. Não fui eu. Os dois me traíram. Não fui eu... Não fui eu...

Em seguida, desfalece. Seus pais o afagam, choram, mas logo são retirados do cárcere.

Estamos sozinhos novamente. Me aproximo dele e reconheço que, embora desfalecido, há muita vida nele. Não será dessa vez que o levarei comigo. Ele é um bravo guerreiro. Recolho-me novamente ao Éter.

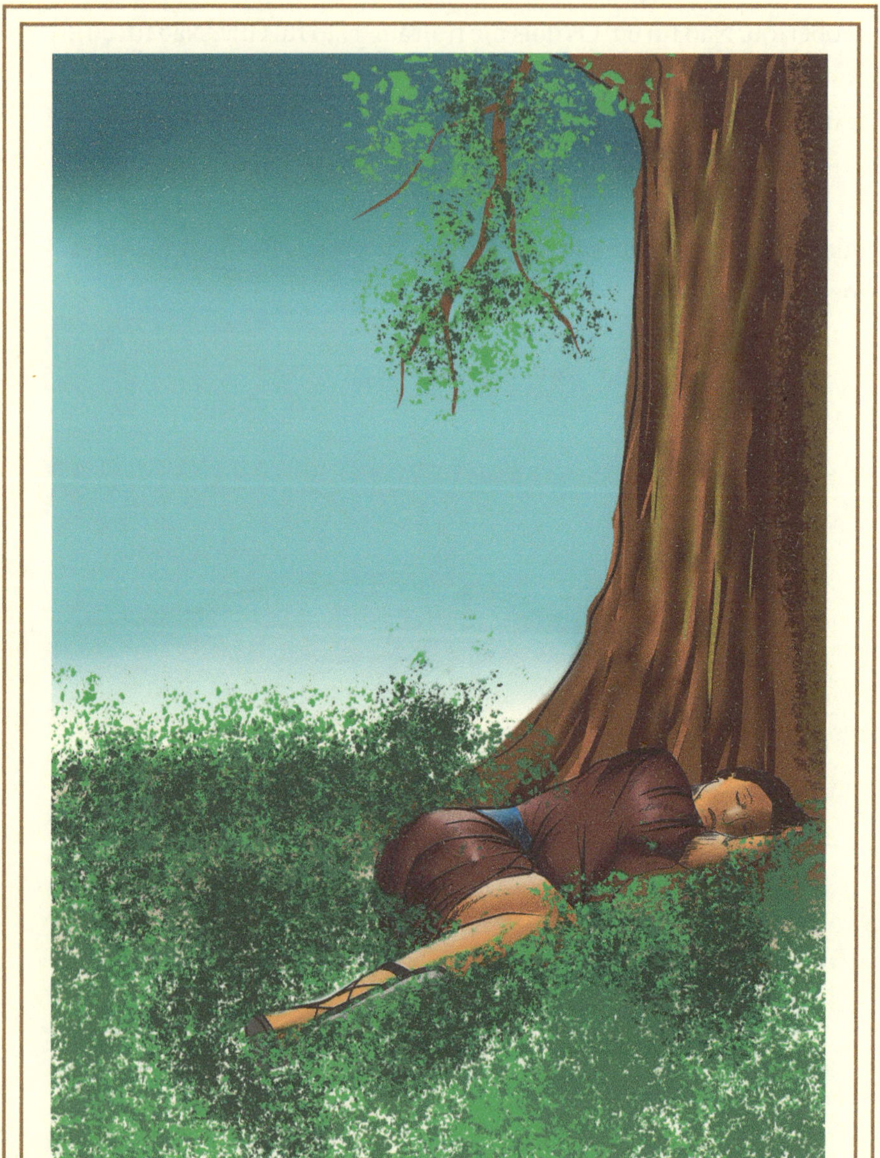

LIVRE DO CATIVEIRO

A noite abraça Huacán e o silêncio invade o subterrâneo da Corte. Yareth permanece envolvido num sono profundo e seu corpo dá sinais evidentes de que seus ferimentos são severos. Seu pé direito está esfacelado e outros traumas podem não estar tão expostos. Sua prostração é evidência de que, apesar de haver vida, o menino está mergulhado numa escuridão da qual ele mesmo precisa querer sair. Somente ele, mais ninguém, poderá resgatar a si mesmo desse submundo, se o desejo de viver pulsar mais forte que a morte. Mas ele é filho de Ollin e Donaji. Herdeiro da sabedoria e do discernimento, defensor da justiça e seu baluarte, a coragem. Não desistirá tão fácil. Não obstante sua condição física tão desfavorável, o garoto sobrevive à madrugada no calabouço frio.

Quando amanhece o dia, os guardas abrem o cárcere, trazendo consigo um bornal com alimento e água. Colocam o garoto numa espécie de rede, presa pelas extremidades a um fino tronco, e, apoiando a madeira nos ombros, o carregam mata adentro. Ele não interage com os guardas e mal se dá conta do local para onde está sendo levado. Quando chegam a um pântano, colocam-no deitado sob a sombra de uma frondosa árvore. Um cipreste. Ali, com água e comida para dois ou três dias, Yareth é deixado à própria sorte. Quem sabe, talvez, à piedade de algum deus. (Não contem comigo, pois minha missão é levar as almas para fazer a grande travessia.)

O cipreste é enorme, com mais de quarenta metros de altura. Seu tronco é imponente, sendo necessários pelo menos vinte homens para abraçar sua circunferência. É como se aquela árvore fosse um semideus vegetal. Não foi ao acaso que deixaram o jovem ali. Acreditam que ele estará sob a proteção do cipreste, quem sabe até conseguirá restaurar suas forças.

Mas Yareth corre sérios riscos de ser atacado por animais. Ele está livre do cativeiro, mas ainda preso às dores do espírito. Mergulhado em seu inconsciente, a dor da traição de seu amigo lhe aflige mais do que as chagas do corpo. Com o passar das horas, depois de o sol já ter percorrido um caminho no céu, Yareth recobra os sentidos. Ensaia um abrir de olhos, sem sucesso, pois as pálpebras lhe pesam. A luminosidade da floresta lhe revela que não está mais na prisão. Ainda não tem o domínio de seu corpo, sente um mal-estar generalizado. Os pensamentos começam a se organizar e lhe vêm à mente lembranças do ocorrido no mercado, embora não se recorde de como foi parar na mata. É tomado por uma dor incomensurável. Dor física e emocional, de decepção. Não consegue compreender o porquê de sua amizade ter sido preterida por um punhado de cacau furtado. (Lembre-se de que ele nem imagina que era milho o que continha ali.)

Era justamente de um amigo que precisava agora, e era aquele a quem chamara de amigo o responsável por sua condenação injusta. "Estaria Yuma a seu lado apenas como informante de Tonauach?", pensou. Era seu companheiro de aventuras e brincadeiras. Riam juntos, brincavam como crianças peraltas, trocavam confidências próprias da adolescência, quando os traços infantis abandonaram seus corpos franzinos e o odor peculiar da compleição masculina começou a exalar. Partilharam dos primeiros entendimentos sobre a vida de cada um no ressoar de suas vozes em plena transição. Yareth sempre soube que Yuma era subserviente ao pai, o que justificava seu comportamento mimado. Yuma sustentava um discurso ético, mas quando queria tirar alguém de seu caminho, seja por ciúme, seja para diminuir a importância de alguém, fosse quem fosse, não se fazia de rogado. Armava situações, incitava pessoas umas contra as outras, modulando um jeito próprio de falar, sempre com certa jocosidade, para não parecer tão perverso quanto de fato era.

Yareth conhecia as características de seu amigo. Até então, via-o como via a si mesmo, uma pessoa imperfeita que precisava da intervenção dos deuses para a realização das pequenas e das grandes coisas. Gostava da companhia do amigo. Porém, agora, a situação é bem diferente. Houve uma quebra de confiança. Uma demonstração inconteste de que a amizade, a lealdade e a fidelidade entre eles existiram somente para Yareth. Talvez a proximidade de Yuma tenha sido somente um ato de vaidade para ele, para exibir aos comuns que, mesmo pertencendo a uma família nobre, ele possuía a grandiosidade de ter um amigo humilde, filho de um artesão e uma parteira. Tudo estava bastante evidente.

Com os olhos ainda semicerrados, refletiu: "A amizade é uma das verdadeiras alegrias da vida em sua completude e deve ser intensa e duradoura. Uma boa amizade ajuda a desviar alguém do erro, ou auxilia em uma tomada de decisão difícil. Uma boa amizade acolhe nos momentos de solidão, de angústia e permite compreender as limitações de cada um, estimulando a calma e a tranquilidade. Uma boa amizade leva à repreensão quando necessária, mas também à apreciação mútua de virtudes. A construção da confiança leva tempo porque se trata de um cuidar constante, e constância requer perpetuação no tempo. A amizade plena busca a felicidade do amigo. O bem pelo bem. Isso é a amizade verdadeira. Não a amizade por prazer momentâneo. Não aquela que se fundamenta em mero interesse, porque prazer e interesse mudam de acordo com as etapas da vida e tornam a amizade pueril, frágil, vil. É preciso cuidar para que a amizade não extrapole os limites da lealdade. Yuma demonstrou se enquadrar nesse nível de amizade pífia. A vida é mesmo muito curta para realcionamentos rasos, aparentes".

De fato, a amizade é uma alma em dois corpos. Quando é plena, o é por afastar de sua essência o egoísmo, a vaidade, a exploração. E torna-se singular por somar e dividir, questionar e compreender, sobretudo acolher sempre e elevar a outros patamares de evolução pessoal aqueles que a cultivam como joia preciosa que é. O ombro amigo é o refúgio na tristeza, na decepção, na miséria, na traição, na solidão, na morte. A amizade verdadeira, aquela na qual se pode confiar completamente, pode estar presente no casamento, entre irmãos, primos, pais e filhos e fora da família. Entre comuns e deuses não existe amizade, nem entre deuses apenas. O que une deuses entre si ou aos comuns é mero interesse momentâneo. E quando surge um sentimento mais duradouro entre deuses, sempre aparece uma divindade com sua cobiça e destrói tudo aquilo. Nisso, invejamos os humanos, pois vocês conseguem, na amizade ou no amor, relacionamentos saudáveis para a vida inteira. Nós não temos disposição para isso.

◄——《« · »»——►

Donaji e Ollin saem da cela horrorizados com a revelação do filho e com a brutalidade do castigo que lhe impuseram injustamente. Em seu íntimo, a mãe jura vingança a Tonauach. Ollin fica de campana à espera do momento em que Yareth será levado à mata, mas adormece premido pelo cansaço e não vê quando os guardas passam com ele. Quando acorda, não sabe o paradeiro de seu filho e sai desesperadamente à sua procura, mas volta para casa desolado por não o encontrar.

Muito tempo antes, um semideus de grande força física, ao passar pela floresta de Huacán, sentou-se para descansar e cravou no chão sua brilhante e poderosa espada. Ela pesava sessenta e dois quilos e em sua composição havia fios dos cabelos dos mais poderosos deuses dos treze céus. Nesse lugar nasceu o cipreste.

Yareth permanece prostrado sob sua copa por dois dias, e, curiosamente, nenhum bicho rondou o lugar. Permaneço ao seu lado à espera da sua morte, mas ele teima em não sucumbir. Está fraco demais e com febre alta. Ouço ruídos de alguém que se aproxima devagar. Me escondo. É um caçador de um lugar bem longe daqui. Ele toca o jovem imaginando que esteja morto, mas, ao ver que ele está o vivo, toma-o nos braços e o leva.

Ollin procura pelo filho na floresta todos os dias e, quando chega ao pântano, vê a bolsa com alimentos ao pé do cipreste, sem ninguém por perto, então teme pelo pior. Volta para casa e entrega a bolsa a Donaji, que chora, mas diz acreditar que o filho está vivo em algum lugar.

Alguns dias se passam, Yareth abre os olhos e se assusta. Está deitado confortavelmente, embora perceba a simplicidade do lugar. Há um estranho a seu lado, sorrindo, que o contém e pede calma.

— Não se assuste — diz ele. — Aqui você está seguro. Sou Yonan. Vou chamar Mamauê.

O rapaz levanta-se lentamente, apoia-se nos cotovelos e observa o seu entorno. A casa não é tão pequena e tudo está absolutamente organizado e limpo. É possível notar a balbúrdia de duas ou três crianças do lado de fora, quebrando o silêncio do lugar. Duas janelas abertas revelam o verde intenso ao redor da residência. Ao tentar sair da cama, Yareth sente dores no corpo e, ao olhar o pé direito, sente náuseas. Está esmigalhado. Entra pela porta uma anciã, roupa comprida, magra, cabelos longos em forma de uma trança caída sobre um dos ombros. De olhar doce e voz suave, dirige-se a ele numa fala solta e risonha:

— Finalmente acordou, filho? Você deu trabalho! — ela ri. — Muitos ferimentos e uma febre que não cedia. Você ainda não pode andar. Seu outro pé está bom, mas este... Não posso garantir. Talvez seja preciso cortar. Mas se você entender que sua essência não está no pé, vai dar tudo certo! Vamos tentar, vamos tentar... Agora você precisa comer um pouco. Só tomou líquido nas poucas vezes que conseguiu engolir. Você sente muito sono por conta de um preparado que tenho lhe dado para suportar a dor causada pelo ferimento no pé.

Ele a ouve com surpresa e admiração. Fervilham muitas perguntas em sua cabeça. Que mulher é essa? Que lugar é esse? Não estava no pântano? Como conseguiram salvar sua vida? Onde está sua família? Quando poderá voltar para casa?

A senhora lhe oferece uma cumbuca com um mingau de milho quentinho. Começa a anoitecer. Ela se senta ao lado de Yareth, reclina seu corpo e serve o mingau em colheradas para ele.

— Se você se alimentar bem, sairá logo dessa cama.

— Há quanto tempo estou aqui? — pergunta ele.

— Cinco dias. Meu filho, Yonan, encontrou você no pântano. Ele não costuma ir para aquele lado, para não encontrar os guardas do palácio. Nos mantemos afastados daquela gente. Yonan se distraiu perseguindo uma caça. Você teve muita sorte. Mais um dia lá e você não teria resistido. Como é seu nome e o que aconteceu com você, filho?

— Sou Yareth. Tonauach e seu filho Yuma, que era meu amigo, fizeram isto comigo. Alguém precisa avisar meus pais que estou vivo.

— Tonauach — ela repete, apertando os olhos.

— A senhora conhece Tonauach?

— Estamos num vilarejo muito longe do alcance de Montezuma e seus soldados. Tonauach é um homem perverso e há muitos anos, quando ainda era jovem, expulsou minha família de Huacán, colocando fogo em tudo o que tínhamos só porque meu pai, que era soldado do seu exército, se recusou a castigar um prisioneiro. Nesse incêndio, meu pai morreu tentando salvar minha mãe, que também não resistiu. Comigo vieram mais quatro famílias, que também queriam se libertar daquela crueldade. Aqui estamos há muito tempo. Produzimos tudo de que precisamos para viver. Me casei, fiquei viúva e vivemos escondidos do ódio daquele torturador. Não temos motivos para voltar lá. Não temos família que espera por nós. Tudo o que temos está aqui, e vivemos em harmonia com pouco, sem qualquer contato com as pessoas de Huacán.

Mamaué tornou-se matriarca desse pequeno grupo de quarenta pessoas, entre adultos e crianças. Com a morte dos pais, teve de se superar em muitas coisas, o maior desafio tendo sido não agir por vingança. Com muita reflexão, pôde compreender que o ódio é mais pernicioso que uma batalha sangrenta. Porque a batalha um dia termina, mas o ódio, se não for contido, é transmitido por gerações, até que alguém resolva abrasar o seu calor. O ódio consome, tira a paz. Ela ainda sentia em seu coração a dor por aquelas perdas, mas vingá-las não era o melhor caminho, nem iria apagar seu sofrimento. Então, decidiu que o melhor a fazer era recomeçar, num lugar onde todos desejassem viver em paz. Mamaué sabia botânica e isso lhe permitiu assumir a responsabilidade de xamã. Sua postura firme, sábia e serena com que aconselhava e cuidava de todos a fez se tornar mãe daquele grupo, e não foi diferente com o forasteiro.

— Então não verei mais minha família? Se meu pai não souber que estou aqui, como virá me buscar? — pergunta Yareth.

— Tudo a seu tempo, Yareth. Seu pai não virá buscá-lo porque nem mesmo sabe onde você está. Provavelmente, pensa que você está morto. Mas se for seu desejo reencontrá-lo, quando você estiver pronto, é só fazer o caminho de volta.

— Então eu quero ir. Quero voltar para casa.

— Agora você não tem condições, Yareth. Seu pé está horrível e sua vida ainda corre perigo. Além disso, você sabe que foi Yuma quem furtou o comerciante e que ele foi acobertado por Tonauach. Ele não hesitará em matá-lo, pois você vai manchar a honra dele ao contar a verdade. Se aquiete. É próprio da sua idade querer tudo para ontem. Mas você precisa ser racional. Para ser um vencedor, é necessário ser estrategista, ter cautela. Se agirmos sempre no calor do momento, a chance de tudo dar errado é grande. Uma coisa de cada vez. — Após um momento de silêncio, ela retomou: — Você diz que quando seu pé fica parado dói menos. Acredito que ele precisa ser imobilizado. Vamos colocar uns galhos pequenos aí e amarrar com umas tiras de pano para ver se para de inchar. Mas vou ter de mexer nele de vez em quando para o sangue circular. E isso vai doer.

A rotina é a mesma todos os dias. Repouso, curativos com emplastos feitos pela xamã, alimentação. Dia após dia, Yareth se afeiçoa às pessoas daquela pequena comunidade, em especial Mamaué. Como não pode sair da cama, o jovem começa a fazer cestos e balaios de palha, ofício que aprendeu com o pai, para passar o tempo e sentir-se útil. É também uma maneira de se sentir ligado a Ollin. Quanta saudade sente de sua família. Aos poucos, compreende o quanto é importante estar forte física e mentalmente para retornar a Huacán.

◄◄ • ►►

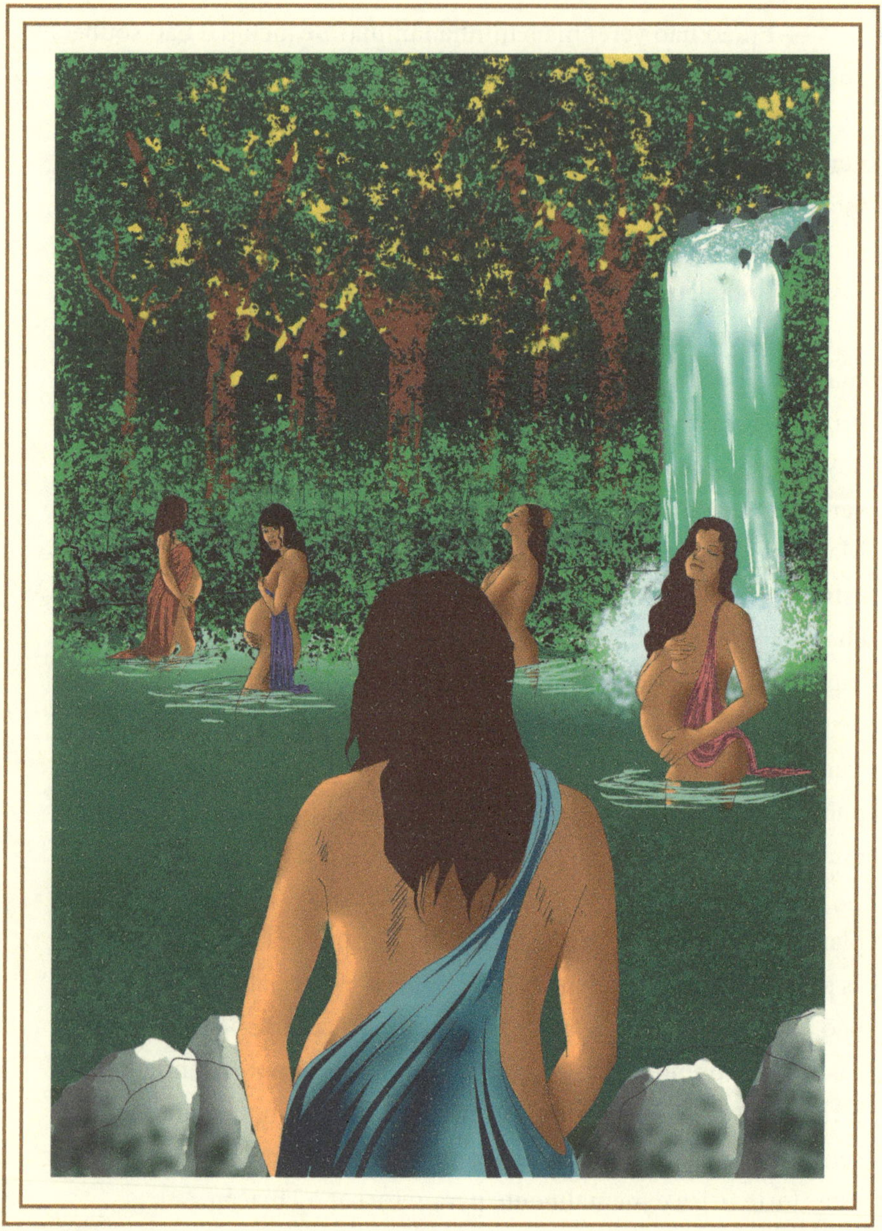

A VINGANÇA DE DONAJI

Ollin tem acordado mais cedo diariamente e vai à mata na esperança de encontrar Yareth. Nos primeiros dias, muitos iam com ele, mas aos poucos o grupo foi desanimando de continuar as buscas por acreditar que o garoto não estivesse mais vivo. O artesão segue em sua procura, imerso em solidão. Na floresta, sente-se impotente, fracassado, e muitas vezes pensa em atocaiar Yuma e matá-lo pelo que fez a seu filho, submetendo Tonauach ao mesmo sofrimento. Numa luta pessoal consigo mesmo, esmurra seu próprio rosto e cobra de si equilíbrio, ética, exemplo. Não há como denunciá-los pelo furto, por não haver qualquer testemunha. Além disso, seria loucura acusar o chefe do exército e seu filho. Quem acreditaria?

Mais uma vez Ollin volta para casa, ombros caídos, olhar baixo, andar apático. Sua mulher ainda acredita que o filho vive, mas o passar dos dias revela uma angústia crescente porque, se ele vive, onde está? Como está sobrevivendo? E por que não volta para casa? Donaji disfarça sua dor com seu trabalho como parteira. Em cada criança que ajuda nascer vê seus filhos e imagina que aquele que está desaparecido deve estar chorando sua ausência, reclamando sua proteção. Cada porção de comida que ela leva à boca desce com gosto amargo. Aquela mulher cheia de vida, alegre, risonha, linda, vibrante já não se reconhece mais. À medida que os meses se sucedem, o desalento vai mortificando seu coração de mãe. O pequeno Tuareq talvez seja a única razão para fazê-la se levantar todos os dias.

Várias mulheres em Huacán estão próximas do período final de gestação, e é um hábito local elas se reunirem, nessa fase da gravidez, em uma cachoeira para um banho coletivo em homenagem à deusa da água, buscando proteção para si e para seus bebês. Uma dessas gestantes contrata Donaji para acompanhá-la, pois já sente um pouco o peso da barriga. Outras grávidas também levam suas pajens para carregar seus alimentos e lhes dar os suportes necessários. Essa cerimônia não conta com a presença de homens. É um momento só das mulheres, no qual elas saboreiam frutas, trocam confidências sobre os maridos, compartilham os reclamos gestacionais, nadam, penteiam os cabelos, riem e fofocam. O que Donaji não esperava é que a esposa de Tonauach estivesse entre as gestantes. Ao olhá-la, pôde sentir o sangue lhe subir ao rosto. Sabe que Yari não tem culpa pelo que aconteceu ao seu filho, porém não consegue nutrir simpatia por ela. Não querendo proximidade com a mulher, apenas a observa de longe. Assim como as outras gestantes, a barriga de Yari está grande, mas parece um pouco mais baixa do que o normal, sugerindo que o nascimento da criança não deve demorar muito para acontecer.

O dia radiante e quente convida as mulheres a permanecerem relaxando sem pressa de ir embora, seja repousando sob a sombra, seja refrescando-se na piscina de água natural. Combinam que, antes de irem embora ao meio da tarde, entrarão todas na água para formar um círculo e, de mãos dadas, invocar a proteção dos deuses para um bom parto. Há trinta mulheres na cachoeira, das quais dezoito estão grávidas. As gestantes, ansiosas para ter seus bebês nos braços, se perguntam: menina ou menino? Saudável? Perfeito? Que aparência? Parto fácil ou difícil? Tantas questões a serem respondidas. Donaji não consegue tirar os olhos de Yari, mas o faz com muita cautela.

O tempo começa a fechar e nuvens carregadas se formam no céu, aliviando o calor e tornando menos pesarosa para as grávidas a permanência no local. Elas ouvem trovoadas ao longe, e uma brisa começa a soprar refrescante. Chega o meio da tarde. As trinta mulheres se reúnem bem à frente da queda d'água e fazem um círculo de mãos dadas, em pé e cobertas de água até a barriga. As pontas de seus longos cabelos e vestidos flutuam na transparência da lagoa. Flores das mais diversas cores boiam e enfeitam o lugar. Parece mesmo que os deuses estão satisfeitos. Nesse momento, o volume de água da cachoeira começa a aumentar e passa da cintura ao nível dos seios. Elas pensam que é uma resposta clara dos deuses satisfeitos com o ritual. Então, permanecem extasiadas com a beleza da queda d'água. Até que, de repente, um enorme barulho e uma enxurrada de água as surpreende ao explodir na cabeceira da cachoeira. Muitas não sabem nadar. Com a água descem pedras e troncos de árvores, que ferem e arrastam boa parte das gestantes. As mulheres gritam desesperadamente. Ao se debaterem, algumas se agarram e acabam por morrer afogadas juntas. (Eu não perco muito tempo e já vou recolhendo as almas dessas mulheres e de seus bebês.)

Donaji consegue se agarrar a um tronco, e a seu lado uma das grávidas vai sendo arrastada pela correnteza. A esposa de Ollin pede que a gestante segure no tronco, e as duas conseguem nadar até a margem. Donaji sobe e a deixa em segurança. Ela está cansada, olha para a água e já não vê ninguém por perto. Algumas poucas mulheres parecem se agarrar na outra margem. A maioria não pode mais ser vista, pois foi arrastada. Que tragédia! Porém, olhando com mais atenção um pouco mais para baixo, enroscada num monte de pedras, ela vê Yari imóvel. Pega o tronco que lhe serviu de boia e vai até lá.

Yari está desacordada, com a cabeça ferida. Donaji amarra os cabelos dela no tronco e, com muita dificuldade, consegue chegar à margem. Puxa Yari até o pé de uma árvore. Ela está inconsciente, mas não perece afogada, pois respira. Alguns gemidos chamam sua atenção na mata, e ela corre até outra mulher que ficou distante trinta metros. Quando chega, é tomada de surpresa. A mulher está em trabalho de parto. A parturiente não parece bem. Relata muitas dores para respirar, o que faz Donaji imaginar que ela tenha graves ferimentos internos. A parteira, então, tira o vestido da mulher para acomodar a criança que está nascendo. É um menino. Donaji enrola o bebê nas vestes da mãe e o entrega a ela, que nitidamente não vai resistir por muito tempo. Donaji se lembra de Yareth. Posiciona o bebê para mamar no seio da mãe. Enquanto ela e o filho se aconchegam, Donaji volta à Yari.

A esposa de Tonauach ainda está inconsciente e um pouco fria. A chuva se dissipa para o outro lado, mas o volume da cachoeira parece não diminuir. Onde estarão as outras mulheres? Alguma outra sobreviveu? Donaji está com medo. Logo vai escurecer. Olha para Yari e não entende por que a salvou. Poderia tê-la deixado morrer. Seria um bom castigo para Tonauach. Ou talvez não. Aquele homem não tem coração. Se fosse levado à Pirâmide do Sol para sacrifício e seu peito fosse aberto para que arrancassem seu coração, nada achariam.

Donaji vê que o bebê se move na barriga de Yari e a temperatura dela continua caindo. O ferimento da cabeça ainda sangra. Donaji sai à procura de folhas de palmeira para cobrir Yari. No meio da mata, encontra um pequeno lago de água corrente, cristalina e quente. São águas termais. Vai às palmeiras e arranca algumas folhas. Coloca-as sobre Yari como um cobertor. A noite vai se debruçando e o choro do bebê recém-nascido rasga a mata. Donaji corre para lá. A mãe está morta. Eu já estou de prontidão, sentada bem ao lado do corpo gélido da mãe, cuja alma repousa nos meus braços. O bebê, entre um choro e outro, ainda mama as últimas gotas de leite que a carcaça da mãe pode produzir. Donaji espera até ele não conseguir mais sorver o líquido para retirá-lo dos braços da mãe falecida, acolhendo-o em seu colo.

A lua entre nuvens permite que Donaji enxergue o caminho e ela retorna para junto de Yari com o bebê. O menino dorme, mas Yari continua desacordada e fria. Donaji vira o corpo de Yari de lado e coloca o menino dormindo junto ao peito dela. Abraçando Yari pelas costas, encaixa-se nela para aquecê-la. Se não conseguir subir sua temperatura corporal, mãe e filho correm risco de morrer. Donaji sabe do perigo que é passar a noite na floresta, vulneráveis a serpentes, aranhas e outros bichos perigosos. Sabe também que Ollin, Tonauach e outros maridos não demorarão para procurar por elas, embora não saibam o que aconteceu. Um deles terá a alegria de acolher um filho nos braços, mas a tristeza de ter de sepultar a esposa. Muitos maridos vão chorar esta noite.

Aos poucos, Donaji nota que Yari começa a esquentar e, exausta, cai num sono profundo por cerca de duas horas. Sonha com uma menina entregando a seu marido o códice e o anel sagrado desaparecidos. Acorda de súbito, sentindo-se molhada entre as pernas, e constata que o líquido escorre da gestante, que se mexe e geme, anunciando que o parto se aproxima. Yari abre os olhos, mas está confusa. Donaji nunca havia feito um parto em que a mãe estivesse nessas condições. Talvez a criança esteja em sofrimento e nascendo prematura. E agora? O que fazer, já que Yari está mentalmente abalada? Vai ser um parto difícil. Donaji cogita não fazer nada e esperar que chegue alguém para ajudá-la. Mas e se não vier ninguém e a mãe e o bebê morrerem? Não pode correr esse risco. É preciso fazer o possível para salvar ao menos a criança.

As condições para fazer o parto são péssimas. A água que desce da cachoeira está cheia de detritos, mas a da piscina termal está limpa. Donaji pede para Yari tentar se levantar. Precisam ir até aquela parte da floresta para tentar o parto na água. A grávida se levanta com dificuldade, apoiada em Donaji, mas sua mente parece não estar ali, nem se dá conta de que há um bebê nos braços da outra mulher.

Chegam ao lago termal. Donaji coloca o menino à margem, ainda dormindo tranquilo, mas sabe que logo ele acordará com fome. Tira a roupa de Yari e entra com ela na água. Percebe que a criança está próxima de sair, mas a mãe não responde aos comandos de fazer força para expulsá-la. Donaji sai da água e pega um pedaço de bambu de taquara para amarrar e cortar o cordão umbilical. Ela bate o bambu violentamente sobre uma pedra e ele se parte, formando a ponta de que ela precisa. A taquara é afiada. Donaji retorna para junto da gestante, força a parte alta da barriga dela e, depois de exaustivos vinte minutos, o bebê nasce. Yari apaga sem nem mesmo ver o filho. Donaji retira a criança da água e ela chora. É uma menina!

Donaji se dá conta de que salvou a filha de Tonauach, enquanto ele a fez perder um filho. Seu coração chora dia e noite por ele. Embora Yari esteja desacordada, ela coloca a menina para mamar. Rasga uma parte de sua própria roupa para envolvê-la. Assim que a bebê termina a mamada, o outro recém-nascido reclama de fome. Donaji o leva ao seio de Yari. Nesse momento, olhando Yari com o menino ao peito, a parteira tem uma ideia para se vingar de Tonauach. Como Yari não sabe que deu à luz uma menina e a outra mãe está morta, trocará os bebês. A filha biológica do militar será criada de forma simples, em uma família não nobre. Donaji então troca os panos que envolvem as crianças e decide guardar esse segredo para toda a vida. Yari acorda, vê o bebê mamando em seu peito e, num momento de lucidez, abre o pano e constata que é um menino. Olha para a parteira e a agradece por ter salvado suas vidas. Então lhe pergunta:

— Que criança é essa em seus braços?

— É a filha de outra gestante que retirei da água. Nasceu agora há pouco também. Mas a mãe não resistiu. O corpo está perto da cachoeira. Não sei quem é.

— Menina?

— Sim. Menina. E o seu, um lindo menino, Yari.

Termina de falar e ouve pessoas se aproximando. Chegou o socorro. Tonauach e Ollin estão entre os homens que fazem as buscas. Donaji e Ollin se abraçam calorosamente.

— Pelos deuses, você está viva! Algum ferimento? — pergunta Ollin.

— Não. Estou bem!

— Que criança é essa?

— Não pude salvar a mãe.

Ela entrega a menina a um homem chamado Macui, que se apresenta como marido da mulher morta. Ele, um modesto comerciante, recebe a recém-nascida em lágrimas e diz:

— Vai ter o nome da mãe. Elitza!

Tonauach vai ao encontro de Yari e do bebê que ela segura nos braços e não esconde seu desapontamento por não ser a filha que desejava. Donaji percebe que o castigo que impingiu a Tonauach foi ainda maior do que podia supor.

A tragédia vitimou vinte e três mulheres, sendo treze gestantes. Que festa para mim, recolher tantas almas!

Ao retornar para casa, Donaji recebe de Ollin todo cuidado e atenção costumeiros. Ela decide não contar a ele sobre a troca dos bebês. Guarda o segredo mortificada, porque não escondem nada um do outro. Mas reflete que não pode comprometer a moralidade dele perante a sociedade. Ollin lhe é fiel em todos os sentidos. Sempre foi. É capaz de assumir a culpa de qualquer coisa para livrá-la de um castigo ou mesmo da morte. Ele lhe diria que agiu errado, mas compreenderia sua dor de mãe e seu desespero, pois também sofre com a injustiça contra Yareth. Donaji sabe que Ollin ficaria dividido entre o amor à esposa e a ética. Ainda mais ele, que sempre pautou sua conduta em princípios de correção.

No dia seguinte, somente cinco corpos foram encontrados perto da cachoeira. Para os comuns, a tromba d'água foi uma escolha inexplicável do deus da chuva. Os dias seguintes são de grande manifestação em Huacán, pois muitas famílias não podem enterrar suas mulheres e filhos não nascidos. A morte por afogamento faz esses mortos serem cultuados de maneira especial, com direito de serem sepultados com toda pompa, cada qual embaixo da própria casa, para serem reverenciados para sempre. Os corpos são colocados encolhidos, de lado, com os braços em volta das pernas. Tudo o que pertence ao morto é enterrado com ele — roupas, armas e objetos pessoais —, pois vai precisar disso tudo em sua nova jornada. Depois de um longo tempo, o suficiente para a decomposição do corpo, abrem a cova e retiram dela apenas o crânio, que é exposto no cômodo principal da casa como se voltasse a habitar aquele lugar.

YARETH

AS LIÇÕES DE YARETH

A convivência de Yareth com todos do vilarejo tem se tornado, dia a dia, mais afetiva. Ele já é tratado como se pertencesse àquele grupo. Yonan lhe dá um filhote de águia fêmea para tomar conta e lhe explica que a ave, quando começa a voar, recebe dos deuses o espírito de algum antepassado que queiram proteger. Yareth dá o nome de Tzaly para a águia. Os dois criam um vínculo extremamente forte, não se desgrudam um só instante. Ela cresce sob os cuidados do jovem e ambos se tornam inseparáveis.

Todos ali fazem Yareth se sentir acolhido de tal modo que seu sofrimento com relação à tortura sofrida na masmorra do palácio já foi bastante abrandado. É certo que ele ainda está muito desapontado com Yuma e sente um enorme medo de Tonauach, mas as conversas com Mamaué o fazem refletir bastante, arrefecendo as fagulhas em seu coração. A xamã convence o jovem de que, para voltar à sua família, é preciso que ele esteja fortalecido física e mentalmente. Primeiro, porque não será fácil fazer a longa e difícil caminhada de volta pela floresta. Segundo, ele terá de rever seus inimigos e esbarrar com eles a todo momento.

— Isso não será fácil — diz a xamã, preparando um chá para eles, no braseiro que estala sob o céu de estrelas.

— Eu não entendo... Como Yuma pôde me trair, Mamaué? Como pôde mudar tão de repente?

— Na verdade, ele não mudou, Yareth — responde a anciã. — Ele apenas se revelou. Aquela personalidade dele já estava lá. Algumas pessoas com as quais convivemos não se revelam como são de verdade. Não demonstram sua índole perniciosa. Conviver em situações amenas não nos dá uma real noção do que o outro é, nem do que realmente somos na sua vida. Somente quando temos de enfrentar a adversidade e precisamos daquele apoio é que vemos que não éramos tão importantes para aquele amigo como pensávamos. Às vezes, por terem uma melhor condição financeira, ou por estarem numa posição de poder, agem subjugando o outro. Até mesmo entre amigos há quem, por ciúme ou por se achar contrariado, passe a agir com obsessão. Importunam, perseguem, molestam, traem a confiança. Ninguém é perfeito, mas amigo de verdade não faz isso. Quem ama não é desleal. Yuma nunca foi seu amigo de verdade.

— Eu confiava nele!

— Um verdadeiro amigo não quebraria a sua confiança, Yareth. Além do mais, Yuma é filho de alguém que tem muito conhecimento sobre o que é correto e o que é errado. Sobre o que agrada ou não aos deuses. Sobre o que o povo aceita como justo ou injusto. Pai e filho sabiam bem o que estavam fazendo.

Yareth não entende por que Tonauach mentiu e o submeteu a tamanha atrocidade, mesmo sabendo da sua inocência.

— Então, porque Tonauach, conhecendo a verdade, o caminho, permanece na escuridão? — pergunta Yareth.

Mamaué observa que o pé ferido do jovem já dá bons sinais de melhora e, invocando os deuses, coloca sobre as feridas um preparado com plantas curativas. E, após se olharem em silêncio, ela responde:

— Nem todos estão preparados para despertar. Há muitas pessoas vivendo na escuridão por ignorância, mas outros por opção. Cada um deve sair das sombras espontaneamente, numa transição gradual, sob pena de a luz cegar seus olhos.

— Mas Tonauach não é desprovido de conhecimento. Pelo contrário, Mamaué!

— Muitos conhecem o caminho, Yareth. Mas percorrê-lo exige muito mais do que simplesmente sabê-lo. Há pessoas que vivem na escuridão por escolha e, para elas, provocar sofrimento alheio é um exercício de dominância. Ressentem-se de não receberem atenção, amor ou amizade na proporção que julgam ideal para si. Alguns desses ressentidos se tornam obsessivos, movidos por essa pequenez. Apesar da sua decepção, que dói, eu sei que dói, pense no quanto foi bom descobrir que os valores entre vocês são muito diferentes. Yuma não merece sua menor atenção.

— Que valores são esses? — questiona Yareth.

— Os laços que formamos com outras pessoas, sejam de amizade, amor, consideração, afeto. Essas laços são feitos com aqueles com quem conjugamos os mesmos princípios. Veja, para que haja harmonia familiar, todos daquele núcleo precisam comungar das mesmas bases nas quais estão sustentados. Ou seja, respeito mútuo, confiança, o engrandecimento de todos, cuidado uns com os outros. Se não se compartilha dos mesmos valores, um se dedicará e o outro não. E não será possível caminharem na mesma direção. Essas convenções são necessárias. Com a amizade acontece a mesma coisa.

— Me lembro dos ensinamentos de meu pai. Sentávamos nós quatro em volta do fogo para comer. Ele, com toda sua calma e sabedoria, nos ensinava a não aceitar a injustiça, a lutar pela defesa dos mais fracos e pela busca da verdade. Eu não posso ficar aqui, escondido, acusado de um furto que eu não cometi. Tonauach e Yuma precisam ser desmascarados! E só eu posso fazer isso!

— E como você pretende fazer isso? Yareth, não seja ingênuo! Ninguém vai te dar ouvidos, e você será acusado de conspiração. Tonauach é um nobre, militar, e o imperador vai protegê-lo. Aos amigos se concede tudo; mas aos inimigos, o rigor da lei. Não quero desencorajá-lo a fazer o que é certo, mas você precisa de um plano. Você não pode voltar lá franzino, ferido e sem recursos. Do jeito que está, chegará derrotado. Tem de chegar lá vencedor, causando admiração. Use sua inteligência, seja sagaz. Pense que você lidará com alguém ardiloso e capaz de tudo, inclusive matar por vingança. Só vão acreditar que você é bom se sua imagem os convencer disso. Mas, antes, você precisa convencer a si mesmo.

— O que me aconselha a fazer, então?

— Bem, seu pé não está curado. Ainda vai levar um tempo para voltar a andar e vamos torcer para não ter sequelas. Depois que isso estiver resolvido, você precisa se tornar um guerreiro, ganhar corpo, ter um aspecto que cause boa impressão. Meu filho Yonan é um dos melhores guerreiros que existe e treinará você. E quando estiver pronto, você poderá voltar para Huacán.

— Mas isso levará muito tempo. E minha família?

— Eles não sabem que você está vivo. Não estão esperando por você. Se aquiete! — ela ri.

Um ar de tristeza derruba o olhar de Yareth, e Mamaué lhe diz:

— Isso ainda não é o bastante. Tornar-se um guerreiro habilidoso vai garantir que você tenha respeito pela força. Mas beleza e força física não são tudo. Você precisa encontrar o ponto fraco de Tonauach para derrotá-lo moralmente. Isso, sim, é a maior de todas as vitórias. Para limpar a sua honra, não tenha pressa. Numa batalha, se quiser vencer, estude seu inimigo para que o golpe seja certeiro.

◆ ⋘ · ⋙ ◆

O ferimento de Yareth vai cicatrizando diariamente. Aos poucos, ele consegue apoiar o pé no chão. Mesmo claudicando, exercita o caminhar. Às vezes, exagera e o pé volta a inchar, obrigando-o a ficar de repouso por dois ou três dias, então Mamaué lhe puxa a orelha. Como lhe é próprio da idade, quer tudo para ontem, não entende como o tempo é necessário para colocar as coisas de volta no lugar.

Passam as duas estações mais frias. Yareth ganha peso e seu pé finalmente não incha mais. Yonan começa a treiná-lo como guerreiro e lhe explica que aquele será um treino progressivo de longo tempo, para o corpo e para a mente. O jovem, ainda disperso e galhofeiro, faz Mamaué, que observa de longe, rir às escondidas de suas molecagens com Yonan, que o ensina a caçar, pescar, atocaiar, manipular venenos e outras toxinas, fazer armas, plantar e colher, conhecer as plantas e suas utilidades, tocar instrumentos. Mamaué, conhecedora profunda das propriedades das plantas, coloca diariamente na comida do jovem elementos que fazem seus músculos se fortalecerem.

O treinamento continua, Yareth dispara na estatura, seus cabelos crescem até passar os ombros, está menos afoito, mais centrado.

Passaram-se mais três períodos de florada no vilarejo, e sua destreza com a espada melhora a cada dia.

Um dia, ele sai bem cedo e resolve ir até o lugar onde buscava argila para seu pai. Ao se aproximar percebe que há uma mulher no local. Ele fica à espreita. Quando ela se vira, vê que é sua mãe. Que vontade de abraçá-la e dizer que está vivo! Mas se contém. Não é o momento ainda. Donaji veio pegar argila, e ele a observa ir embora. Quantas saudades de estar com sua família. Yareth volta para o vilarejo com o coração apertado, mas resoluto de sua missão. Os ensinamentos de Yonan têm sido de grande valia para Yareth, que o tem como mestre e um irmão mais velho. Em uma das aulas, Yonan lhe diz:

— Empunhar uma espada requer força e habilidade, é verdade. Mas um bom guerreiro tem de estar em conexão com ela e compreender a finalidade do seu corte. Tem de haver sintonia entre o guerreiro e sua espada. Ele tem de conhecê-la, entender seus impulsos e saber acalmá-los. A espada, por sua vez, tem de reconhecer as capacidades do guerreiro, seu ímpeto, suas vaidades e domá-los para que ele não se torne um mero sanguinário. Ela fala e ele escuta. Se enlaçam e dançam em completude. Ela fala e ele escuta. O golpe mostra mais que a força do guerreiro, revela sua inteligência e sagacidade. Também é possível alcançar bons resultados sem mesmo precisar tirá-la da bainha.

Enquanto fala, Yonan luta com Yareth, que já demonstra extrema habilidade.

— Às vezes, uma espada cega é a única arma que o guerreiro tem. Sim, a coragem também conta, mas só a coragem pode fazê-lo encontrar a morte mais cedo do que imagina, porque arriscar sua própria vida por vaidade, mesmo sabendo que sua espada não o fará vencer a batalha, tampouco poderá protegê-lo. — Yonan vai ficando cansado. Já é difícil ganhar de seu pupilo. Ele continua: — Outras vezes, Yareth, a espada possui um corte inigualável, mas o guerreiro não é hábil nem sábio o suficiente para empunhá-la. A destreza com a lâmina é tão necessária quanto a estratégia para surpreender o inimigo com seus golpes.

Dito isso, Yareth derruba a espada de Yonan e lhe diz:

— Um bom líder pode convencer com palavras que, se bem escolhidas e ditas da maneira certa, conseguem levá-lo a vencer um inimigo sem que seja necessário derramar uma única gota de sangue. Quem sabe jogar conduz a partida do seu jeito e, com habilidade, derrota o adversário somente pela estratégia correta.

O jovem estende a mão para Yonan e o levanta. O mestre o abraça e lhe diz:

— Você está pronto!

Yareth reflete por uns dias e decide que chegou o momento de voltar para sua família. Sabe que será uma grande surpresa para eles. O vilarejo organiza uma festa para sua despedida. Seus laços com aquele lugar estão definitivamente apertados. Foram quase cinco floradas convivendo com eles. Nesse período, apenas um homem morreu e quatro crianças vieram ao mundo. Os tambores tocam, a fogueira estala, as estrelas piscam felizes. É uma noite de celebração. Yareth recebe colares com dentes de animais ferozes, que simbolizam sua bravura. Mamaué lhe põe na cabeça um cocar de penas brancas, indicando que a sabedoria está acima de tudo, e lhe pede que mantenha segredo sobre a localização do vilarejo, para que Tonauach não os perturbe. Yareth beija as mãos da anciã e lhe promete que um dia irá voltar. No dia seguinte, parte para Huacán com a águia.

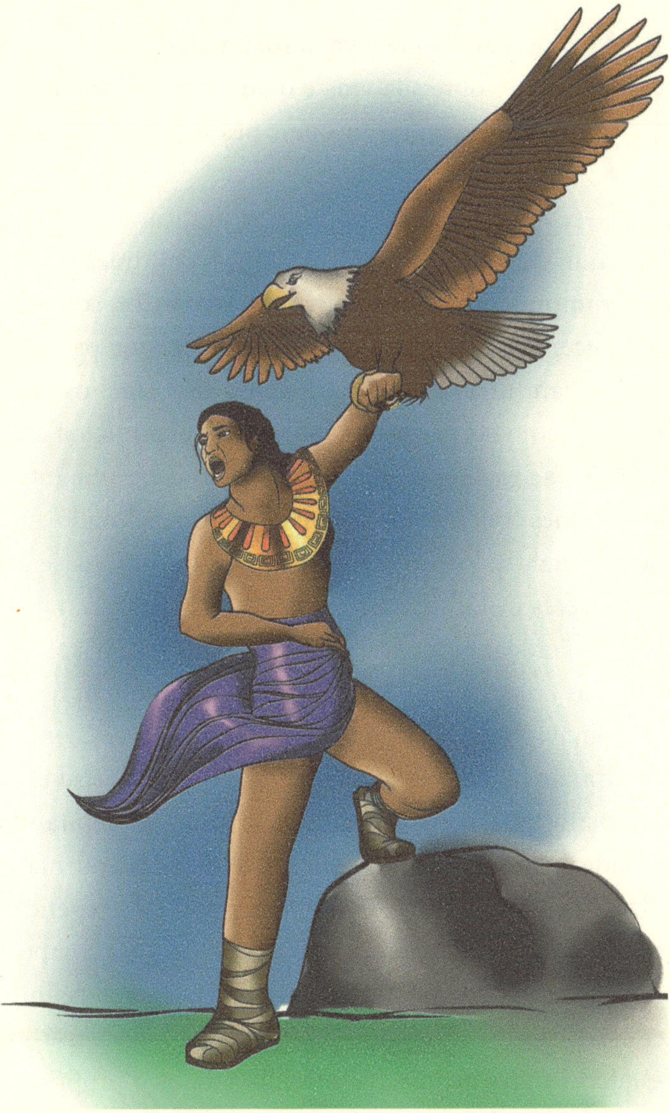

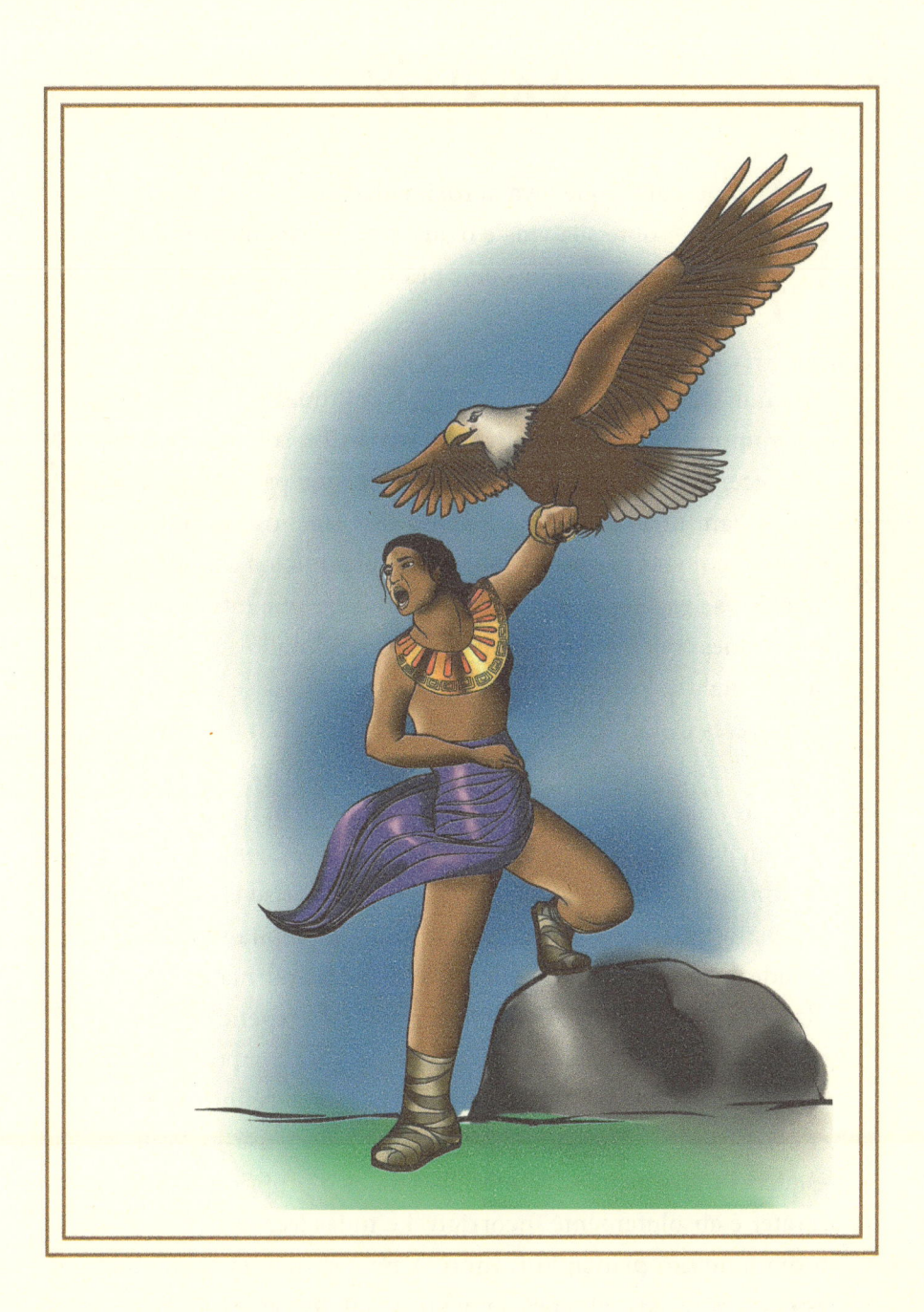

O REGRESSO

No percurso, que leva aproximadamente três dias, Yareth reflete sobre sua vida e o quanto os ensinamentos de seu pai lhe estruturaram como pessoa. Recorda-se bem de que certa vez ele lhe disse:

— Qualquer pessoa pode errar, praticar um ato equivocado. Nenhum de nós está livre isso. Mas há atitudes que exigem de nós rompimento total para com o malfeitor, sob pena de nos acontecer coisa pior. — "Que saudade de meu pai", pensa ele.

A caminhada pela mata densa tem trechos bastante perigosos, com serpentes peçonhentas, precipícios camuflados, macacos selvagens, frutos tóxicos, e por vezes ele intercala suas meditações com os apuros do caminho, concluindo que nenhum deles é mais doloroso que uma traição. Continua se lembrando dos dizeres de Ollin:

— Perdoar e esquecer equivalem a jogar pela janela princípios pessoais construídos. Se uma pessoa com quem temos ligação ou convívio nos faz algo grave, decepcionante, como a quebra de confiança, temos apenas de nos perguntar se ela nos é ou não valiosa o suficiente para aceitarmos que repita semelhante atitude, e até de maneira mais grave. Em caso afirmativo, o que dizer? Todavia, devemos saber que permitir a repetição da quebra de confiança nos expõe à repetição daquele comportamento. Em caso negativo, temos de romper imediata e definitivamente com o suposto amigo, ou, se for um servo, dispensá-lo. Pode-se esquecer tudo, menos a si mesmo, menos o próprio ser, pois o caráter é absolutamente incorrigível e todas as ações humanas brotam de um princípio íntimo. A pessoa que tem uma boa essência não age mal repetidamente. Quando a essência é má, a ação é má. Talvez, somente quando nos reconciliarmos com alguém com quem tenhamos rompido uma relação por quebra de confiança e, na primeira oportunidade, esse alguém fizer exatamente a mesma coisa que produziu a ruptura da relação, até com mais ousadia, é que tenhamos a consciência do quanto era imprescindível manter a cisão.

Yareth sabe que pequenas falhas são perdoáveis, mas deslealdade não. Como continuar ao lado de quem não se pode confiar? Ele faz suas reflexões enquanto caminha com passos vigorosos, resolutos. Tzaly é sua companhia nesse percurso. Ele se tornou um guerreiro corajoso, de fato, mas não sem medo. A coragem é a ação firme diante da necessidade, ainda que exista temor. Se houver recuo toda vez que o medo surgir, nunca haverá superação. A bravura é necessária ao ser humano assim como o receio, pois um sem o outro leva o indivíduo à derrota. Coragem sem medo torna o sujeito afoito, imprudente, pois ele se arrisca além da conta, por não identificar os riscos do fracasso. A coragem vem do coração, e por isso o sacrifício de arrancá-lo em oferenda. Assim como o coração, a coragem pulsa, lateja, palpita. Quando o perigo se mostra iminente, o ímpeto do enfrentamento aflora. O afoito age sem pensar. O corajoso vai ao combate com estratégia de vitória. Uma vida sem um mínimo de bravura não leva o indivíduo nem mesmo a subir numa árvore. Mas um valentão perde o respeito dos seus e se torna motivo de galhofa por confrontar tudo e todos, muito mais por vaidade do que por princípio.

A mim, que tenho por missão recolher as almas, isso é indiferente. Com coragem ou sem, todos vão morrer. Porém, não se pode negar que Yareth se tornou um homem exuberante física e intelectualmente. A beleza de seus pais lhe foi pródiga, mas sua semelhança com Ollin é incrível. Yareth tem um porte que talvez nenhum nobre no palácio tenha. O jovem transmite confiança, segurança e credibilidade enormes, virtudes herdadas de seus pais e aprimoradas por Yonan e Mamaué.

Após ciclos solares e lunares, próximo à metade do dia, Yareth percebe que está perto de Huacán. Há uma satisfação gritando em seu peito. Que vontade de correr para sua família! Ele confidencia a Tzaly que aquele era seu lugar. Ela parece entender cada palavra. Os dois saem da mata em direção às margens do lago Hauatl. Ele parece um semideus, tamanha beleza e imponência. Algumas poucas pessoas circulam por lá. À medida que Yareth vai margeando o lago, os homens se perguntam:

— Quem é esse homem altivo?

— Quem é esse guerreiro que traz uma águia consigo?

E as mulheres, em frenesi, comentam umas com as outras:

— Que braços fortes! Que cabelos longos e brilhantes! Que peitoral! Que boca! Quem é ele?

Yareth escuta o burburinho e caminha resoluto para encontrar sua família. No trajeto, todos o observam curiosos, porém sem reconhecê-lo, pois há cinco floradas era só um menino franzino.

Ele para em frente à sua casa feita de madeira, barro e palha. A aragem rebate no pano que cerra a porta. Ele respira fundo, seu coração está sobressaltado e as lágrimas lhe escapam em torrentes. Afasta o pano e logo vê o pai e o irmão sentados no chão, comendo, e Donaji em pé. Quando ela olha para ele, cai de joelhos e chora. Todos se abraçam e permanecem unidos, tocados profundamente com o reencontro.

Ollin diz ao filho que procurou incansavelmente por ele na floresta, mas que, ao encontrar a sacola com a comida intocada, acreditou que ele tivesse morrido ali, tendo sido arrastado por um animal. Conta que sua mãe sempre acreditou que o filho estivesse vivo em algum lugar, mas que todas as incursões à mata não davam a menor pista de seu paradeiro. Yareth lhes consola dizendo que dificilmente iriam encontrá-lo, e explica tudo sobre o vilarejo de Mamaué e os motivos que o fizeram adiar seu retorno.

— Somos imensamente gratos por terem salvado sua vida e cuidado de você — diz Ollin. — E respeitamos sua decisão. Sua mãe também escapou da morte e, se eu a tivesse perdido, seria ainda mais difícil. Mas agora estamos todos aqui, juntos outra vez. Agora, vamos! Quero saber cada detalhe e conhecer melhor meu filho, o homem que se tornou!

Ollin conta a Yareth que não era cacau, e sim milho, o que havia no saquinho furtado. E Yareth revela que lutará para limpar sua honra e a de sua família.

Ollin continua confeccionando balaios e cerâmicas, e buscar argila agora é uma responsabilidade de Tuareq. Ollin faz um cesto, e Yareth se senta a seu lado e começa a entrelaçar outro. Enquanto conversam, prosseguem com o trabalho artesanal, e não demora muito para Yareth terminar o seu cesto: melhor, bem-acabado, mais bonito que o do seu pai, que, impressionado, indaga:

— O que pretende fazer? Trabalhar comigo ou ter seu próprio negócio? Enquanto você esteve ausente, prosperamos bastante e temos uma boa quantia de cacau guardada.

— Nem uma coisa, nem outra, meu pai. Eu não conseguirei permissão do palácio para ser comerciante. Assim que Tonauach souber que estou vivo, vai ficar de olho em mim. E eu também preciso vigiá-lo. Em três dias haverá a inscrição para o corpo militar do palácio. Vou me inscrever.

— Meu filho, é muito perigoso! Tonauach dará um jeito de matá-lo!

— Não se preocupe, meu pai. Direi a todos que, em razão dos ferimentos que sofri, minha memória foi afetada e não me lembro nem mesmo de Yuma e Tonauach. Assim, eles não se sentirão ameaçados. Quanto ao duelo, estou pronto. Treinei muito para isso. Uma vez na guarda, terei condições de sondá-los e descobrir suas fragilidades.

— Isso pode levar muito tempo, filho.

— Tonauach fez outras vítimas antes de nós. Matou inocentes. Não tenho pressa. Tudo a seu tempo.

Yareth fica recluso em casa nos dias seguintes, descansando de sua empreitada pela mata. Quando o mensageiro do imperador anuncia o início das inscrições para a guarda do palácio, Yareth espera e só se apresenta no último dia. Quando chega lá, observa Yuma, que já é militar, mas age como se não conhecesse o antigo amigo. Yuma estranha, porém é informado pelos seus de que Yareth perdeu a memória dos dias em que foi torturado na prisão. Yuma se surpreende com o porte físico de Yareth. Quando amigos, tinham estatura e peso semelhantes. Agora, o filho de Ollin parecia ter o dobro do seu tamanho, apesar de não demonstrar qualquer perigo ou ar de intimidação, nem mesmo ressentimento. Acreditando que ele não o incomodará, Yuma autoriza sua inscrição e leva tudo ao conhecimento do pai.

No dia do exame, no pátio principal do palácio onde o povo se aglomera, Tonauach fica perplexo com a transformação física de Yareth, e espera com inquietação para vê-lo lutar. Coloca seus guardas para duelar com os aspirantes. A seleção acontece ali mesmo e o aspirante a militar, ao final da avaliação, já é informado de sua admissão ou dispensa. Yareth é deixado por último. Para avaliar sua habilidade, Tonauach escolhe seu melhor soldado e o orienta a não ter piedade, inclusive se tiver a oportunidade de matar o filho do artesão.

Os dois são convocados ao centro do pátio. Yareth se faz de ingênuo, morde o grosso lábio e amarra os longos cabelos negros para trás. Seus pequenos olhos percebem o *frisson* que causa nas mulheres, então resolve jogar com isso a seu favor. O brilho do sol reluz no óleo que passou em sua pele âmbar. Os bíceps, tríceps e ombros torneados de Yareth são muito desejados pelas mulheres presentes, e seu abdome é o lugar onde elas querem brincar. Quando ele desembainha a espada e revela a coxa no primeiro movimento, é possível ouvir os gemidos de prazer do público feminino.

O combate começa e logo Ollin percebe que seu filho toma um tempo para analisar o oponente. Nota também que ele não imprime toda sua força no duelo, uma estratégia para que não conheçam o verdadeiro potencial da sua força física. Com inteligência, Yareth faz parecer que é mais resistente do que forte, fazendo os presentes, e não só as mulheres, defenderem seu nome. Diante da popularidade de Yareth, Tonauach se vê obrigado a admiti-lo no corpo da guarda e designa Yuma para ficar de olho nele.

Yareth consegue seu objetivo. Agora, como um militar, terá de se manter calmo e subordinado a Tonauach e, se possível, ganhar sua confiança.

Nas dependências do palácio, acaba conhecendo o pequeno Téo, irmão de Yuma, e se afeiçoa a ele. Num encontro casual, o menino se encanta com a espada de Yareth, que a desembainha para mostrar a ele. Em seguida, dá um pedaço de pau ao garoto e os dois simulam um duelo, com Yareth fingindo ser derrotado. Téo se diverte. Guardará essa lembrança para sempre.

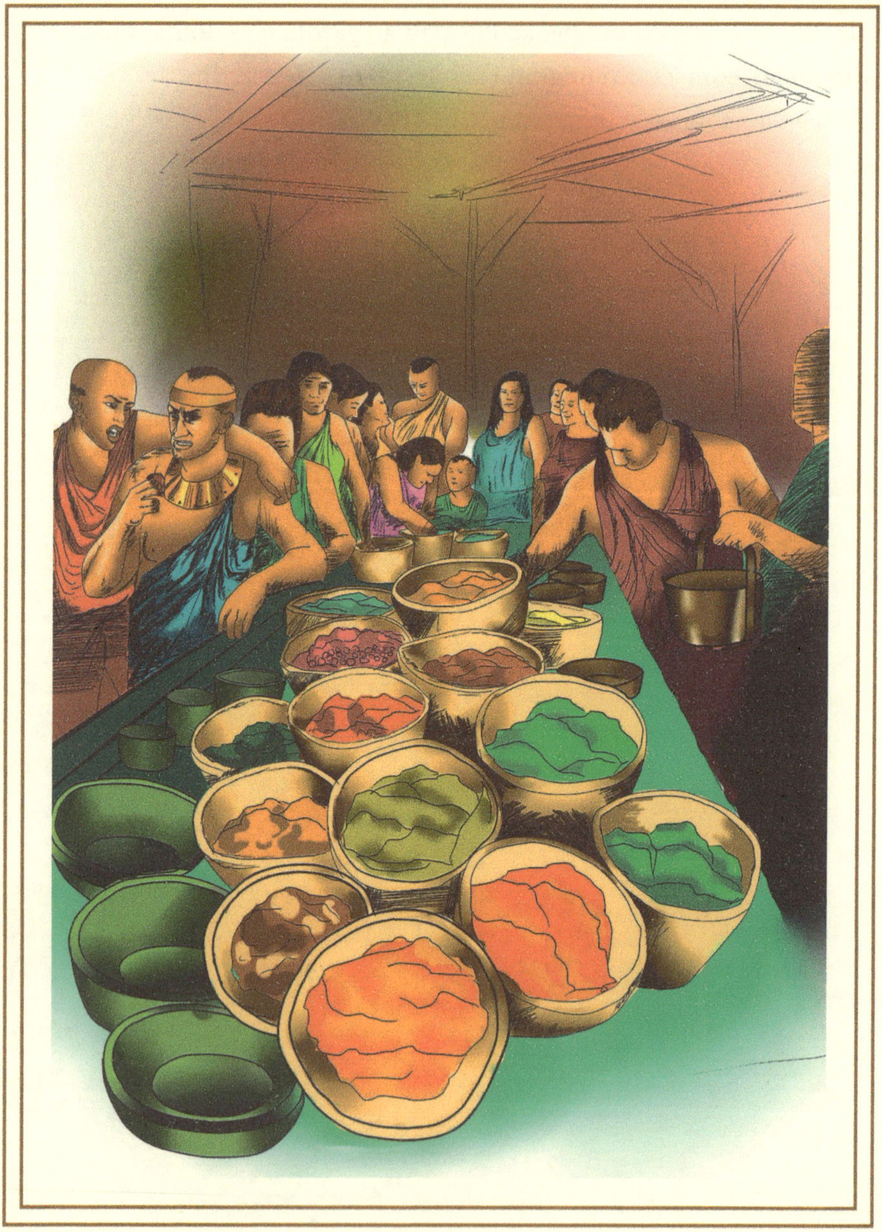

ESTRATÉGIAS DE OLLIN

As estações do ano se sucedem, colheitas abundantes e outras nem tanto se alternam e, quando se vê, já passou uma década. Durante todo esse período, Yareth não conseguiu descobrir nada que colocasse Tonauach em suas mãos. Yuma tentou se aproximar, mas Yareth não lhe deu abertura. O trânsito dos militares no palácio era liberado em praticamente todas as dependências, mas, nos aposentos e locais de refeição, somente quando eram requisitados. Com o passar do tempo, Yareth percebeu que muitos guardas e serviçais pareciam não gostar de Tonauach, mas lhe eram fiéis por medo. Até que um dia um dos guardas mais próximos comenta:

— Yareth, muitos aqui são extorquidos por Tonauach. Há quem diga que ele extorque os comerciantes para não fiscalizá-los com rigor, recebe pagamento dos fornecedores de produtos de qualidade duvidosa e desvia do palácio parte do que é arrecadado.

Yareth percebe o valor da informação que recebe, mas tenta demonstrar indiferença.

— Você tem provas? — pergunta ele. — Recebe algo de Tonauach?

— Não, eu não! — responde o guarda. — Mas é o que comentam outros guardas mais próximos dele.

— Se você não pode provar, melhor não comentar — diz Yareth.

Em casa, Yareth comenta com Ollin a conversa que teve com o guarda, e pai e filho acreditam haver fundamento para investigar Tonauach secretamente. Concluem que para ele esbulhar as pessoas, deve fazê-lo com posses de origem escusa, o que leva a crer serem verdadeiras as suspeitas de exercício irregular de fiscalização e desvio de impostos. Ollin diz ao filho que sondará os comerciantes de forma discreta.

Na manhã seguinte, o artesão se dirige ao centro comercial e conversa com um e outro comerciante. De longe, vê Tonauach e seus homens circulando por ali e conclui que de fato parece haver muito interesse dos militares naquele ambiente. Apesar da sua tentativa de investigação, Ollin não obtém nenhuma informação proveitosa.

◆———《 · 》———◆

Depois de alguns dias, Ollin encontra a humilde banca de Macui, onde ele vende alguns caldos e sopas à base de milho. Ele está acompanhado de sua filha Elitza, que já tem quinze anos e o ajuda diariamente.

— Satisfação em revê-lo, Macui. Como está a vida?

— Como os deuses e o imperador nos permitem, meu amigo.

— A vida tem suas dificuldades. Temos de ter equilíbrio e temperança. E lembre-se: você tem em mim um amigo — diz o artesão, tocando os braços do comerciante.

— Obrigado!

Enquanto trocam palavras gentis, observam Tonauach entrando no mercado com seus homens. Yareth nunca é convocado para fazer essa diligência, tarefa que somente os guardas de extrema confiança do chefe estão autorizados a fazer. Ollin nota que Macui fica aflito e tenta disfarçar seu incômodo. Quando Tonauach chega à sua banca e encontra Ollin, cumprimenta-o com certa arrogância e ironiza a sopa de Macui:

— O que tem pra hoje, cozinheiro? Algum ingrediente novo que não tenha sido autorizado a comercializar? Ou a mesma sopa rala de sempre?

— A mesma de sempre, senhor. Está quentinha. Prove. — Macui oferece um pouco de sopa numa cumbuca.

Tonauach toma o líquido meio reticente, para evitar o julgamento de Ollin, então joga a cumbuca sobre as outras e emenda:

— Está boa. Mais tarde eu volto para tomar mais um pouco. Pode esperar que eu volto.

Após a passagem de Tonauach, Macui abaixa a cabeça e senta, desolado, sobre um toco de árvore. A filha o consola. Ollin pergunta:

— O que está havendo, Macui?

Ele hesita em falar, mas Elitza, levantando o rosto do pai com as mãos, lhe diz:

— Conta pra ele, pai.

Olhando nos olhos da filha e se lembrando de sua falecida mulher, Macui revela para Ollin:

— Tenho de pagar para que ele não cancele minha autorização para vender as sopas. Cada vez que pago, ficamos sem recursos para atender às outras necessidades. Temos tido uma vida de muitas privações.

— Mas os comerciantes já não pagam uma taxa para trabalhar aqui?

— Sim, mas a taxa vai para o palácio, e a parte de Tonauach é irrisória. Esse pagamento que ele nos cobra é só para ele, e não podemos denunciar a Montezuma. Tonauach nos mataria.

— E isso é pago assim, na frente de todos?

— Não, Ollin. Só se exige dos pequenos comerciantes, porque não temos como denunciar. Está vendo este pedaço de pano? Colocamos os valores na bancada e o pano por cima. Quando ele chega, coloca a mão discretamente debaixo do pano e retira o pagamento.

— E por que ele não cobra dos comerciantes maiores, Macui?

— Não aceitariam pagar duas vezes.

— Então, se você tiver uma banca maior vai pagar mais tributo ao palácio, mas ficar livre da extorsão de Tonauach?

— Sim. Mas não tenho recursos para isso.

— Não se preocupe, meu amigo. Minha família e eu vamos ajudá-lo. Quando Tonauach vier mais tarde, pague a ele e não fale nada. No restante desta semana, você não abrirá sua banca. Mande sua filha à minha casa amanhã. Donaji vai ensiná-la a fazer outras comidas para vocês venderem mais produtos aqui. Você, Yareth e eu iremos à mata buscar madeira para a maior banca do mercado. Vou lhe dar balaios, cestos, panelas e cumbucas de cerâmica para poder atender todo mundo. As pessoas poderão comer sentadas. Vamos colocar uma prancha grande de madeira, na altura do peito, para quem quiser comer em pé.

— Não tenho posses para lhe pagar tudo isso.

— Você me paga apenas os objetos artesanais, e somente quando puder.

Quando Ollin volta para casa, conta para sua família de seu intento para ajudar Macui e todos concordam em participar. Donaji sente um nó na garganta, afinal Elitza é a filha biológica de Tonauach. O segredo ainda está bem guardado com ela. A menina não tem culpa disso. Vai ensiná-la a cozinhar bem. Fará o melhor por ela.

E assim acontece. Em poucos dias, a nova banca fica pronta e é montada no comércio central, na área onde ficam os maiores comerciantes. Os passantes se admiram com a qualidade dos produtos e dos serviços ofertados. Fazem fila para comer no novo estabelecimento, e já no primeiro dia Macui fatura o equivalente a uma semana de trabalho.

A notícia corre até os ouvidos do chefe militar, que vai conferir a informação com os próprios olhos. Quando chega lá, disposto a cassar a autorização de Macui, é tomado de surpresa novamente: um dos sacerdotes de Montezuma está no local! Ele também tinha ido conhecer pessoalmente a mais bela banca do centro comercial, e fica admirado com a arrecadação que aquele empreendimento vai gerar. Tonauach entende que Ollin está por trás daquilo e sente seus olhos queimarem de ira. Falseando amabilidade, pede um pequeno assado de milho com ervas para experimentar e um suco feito do mesmo grão. Elitza é quem o serve. Ele olha para ela e pergunta a Macui:

— É sua filha, Macui? Aquela que nasceu no dia da tragédia da cachoeira?

— É, sim, senhor.

— Foi ela quem cozinhou?

— Sim, senhor.

— Minha mulher não sabe cozinhar nada. Talvez se eu tivesse uma filha... Bobagem! Ela também não iria saber.

O sacerdote de Montezuma retorna ao palácio e os militares o seguem. Tonauach se sente afrontado por Macui, e desconfia que ele teve a ajuda de Ollin. Em seu íntimo, o chefe militar pensa: "Macui e Ollin pagarão caro por isso!".

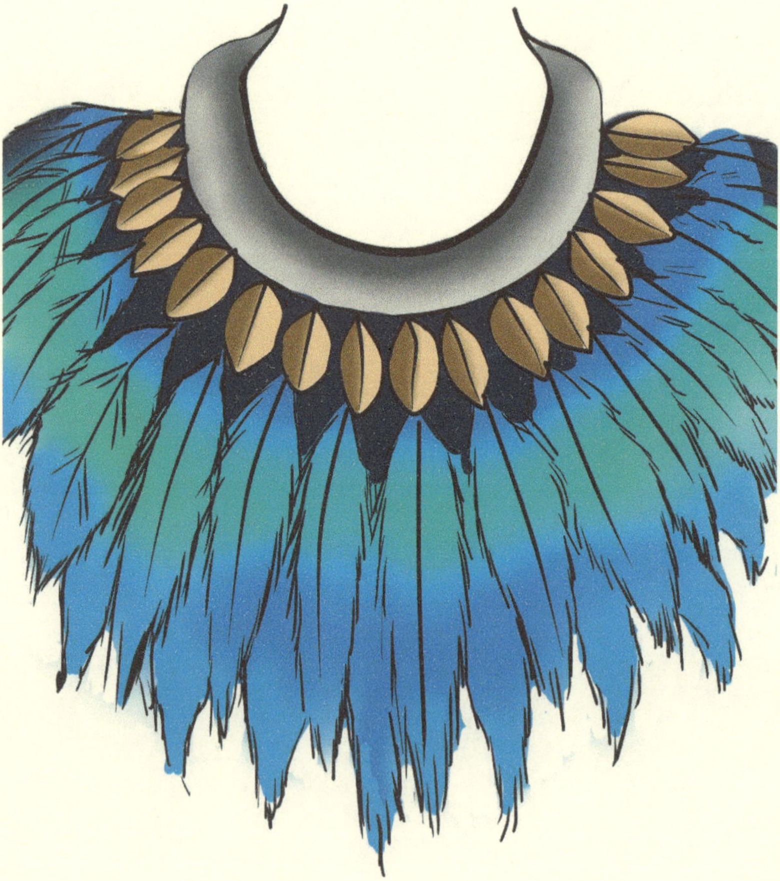

O ERRO DE OLLIN

Sentindo o golpe, Tonauach retorna para sua fortaleza motivado pela vingança, e não ocupa sua mente com outra coisa senão encontrar uma forma de enfraquecer e derrubar seu maior inimigo. Andando de um lado para o outro em seus aposentos, o chefe militar pensa em atocaiar Ollin para acabar com a vida dele. Quer vê-lo se arrastando, pedindo por clemência, tremendo de medo. Mas sabe que pedir por misericórdia não é do perfil de Ollin e que, portanto, não conseguiria ter essa satisfação. Além disso, o povo admira as virtudes do artesão. "É isso!", pensa Tonauach. "Tenho de derrotá-lo em sua honra. E o melhor a se fazer é, primeiro, destruir sua reputação diante de sua família. Se ele perder o apoio familiar, ninguém mais vai admirá-lo, e toda a notabilidade que ele construiu vai ruir."

Tonauach chama um de seus comparsas e pede a ele para trazer uma jovem que seja bonita e queira ganhar vantagens fáceis.

O adulador logo retorna com Mayah, uma linda jovem de corpo sedutor, longos cabelos sedosos, sorriso atraente, olhos de rapina. Moça de índole vil, que não dispensa uma oportunidade para obter ganhos, ainda que à custa do sofrimento alheio. O militar prepara a jovem para que o artesão caia no embuste. Combina com ela para procurar por Ollin no mercado dizendo querer conhecer melhor os códices.

— Se faça de indefesa — orienta Tonauach. — Faça ele ficar tocado por seu desejo de conhecimento e querer ajudá-la. Diga que você quer melhorar de vida e ajudar outras pessoas, por isso gostaria que ele lhe ajudasse com suas dúvidas.

— Mas ele vai cair nessa armadilha? Ele não é um sábio?

— Todo homem fica balançado diante de uma mulher bonita. Os instintos de desejo e admiração por uma boa fêmea são incontroláveis. Há aqueles que conseguem se dominar e não passam do ponto. Talvez ele não toque em você, mas, se Donaji os vir juntos em um local reservado, ela não acreditará mais nele. Se você conseguir que ele se deite com você, ele será condenado à morte.

— Me pague bem que faço meu trabalho.

— Ah, um detalhe. Ele e a mulher são muito perspicazes. Se notarem sua verdadeira intenção, vão tirar você do caminho antes que consiga seduzi-lo.

Tonauach fala um pouco sobre os códices, para que ela desperte o interesse do artesão, e lhe promete uma pequena pepita como pagamento. Mayah vai ao mercado procurar por sua presa. Não demora e vê Ollin empilhando os cestos na barraca. Ela prontamente se dispõe a ajudar.

— Ah... Obrigado, minha jovem — agradece o artesão.

— Seus cestos e jarros são muito bonitos. É o senhor mesmo quem faz?

— Sim, e meu filho Tuareq também.

— Onde ele está?

— Foi buscar argila.

— Eu gostaria de aprender a fazer esses objetos. Estou precisando aprender um ofício. Não tenho ninguém por mim e tenho de me virar sozinha até para comer. O senhor me ensina?

— Sim, posso ensinar. Mas meu filho talvez tenha mais jeito com você.

Quando Mayah percebe o desinteresse de Ollin, muda de estratégia:

— Eu quero aprender muitas coisas, e também sobre os códices. Seu filho conhece os escritos sagrados?

Ollin, então, olha surpreso para ela:

— O que sabe sobre os códices?

Após Mayah repetir o que Tonauach tinha lhe ensinado, o artesão se encanta com o conhecimento incomum da jovem.

— Bem, eu vejo que você realmente se interessa por esse assunto — diz Ollin. — Eu posso lhe dar algumas orientações, mas em troca você terá de trabalhar na barraca.

— Está bem, obrigada! — responde ela, sorrindo.

Pronto! Mayah corre para avisar Tonauach que Ollin mordeu a isca. No dia seguinte, quando Tuareq chega com seu pai para trabalhar, a jovem já está lá arrumando tudo e se dirige ao artesão com um sorriso incomum. Tuareq não demora a perguntar:

— Quem é ela, pai?

— Ah, filho, deixa eu te apresentar a Mayah. Ela vai ajudar nos afazeres da barraca em troca de algumas aulas. Mayah, este é meu filho de quem falei ontem.

Os dois se cumprimentam, mas Tuareq pressente encrenca e não demonstra muita simpatia. Puxando o pai de lado, sussurra, enquanto Mayah se movimenta eufórica:

— Você falou com a mamãe sobre isso?

— Não, ainda não.

— Acho bom você falar. Você não gostaria que ela tivesse um aprendiz cheio de… energia na cozinha dela enquanto você está ausente, não é?

Ollin levanta as sobrancelhas.

Tuareq fica nitidamente incomodado com a presença de Mayah e nota que ela sempre tenta ficar próxima de Ollin, mostrando-se solícita demais. Num momento em que Tuareq se ausenta, a jovem avisa o artesão de que vai sair, mas volta logo. Não demora e ela retorna com um presente para Ollin que ela comprou numa outra barraca, mais distante.

— Tome! É para você — entrega para ele um adorno de peitoral com penas azuis.

— O que é isso, Mayah? Não posso aceitar. Você disse que não tinha recursos. Não, não! — diz Ollin, recusando-se a aceitar o presente.

— Eu não comprei. Era do meu irmão, que eu estimava muito.

— Não posso, Mayah. Melhor você vender e guardar como economia.

— Por favor. Gostaria que ficasse com você em sinal de minha gratidão.

Ela o convence se fazendo de vítima, mais uma vez.

— Está bem. Sendo assim, eu aceito. Obrigado.

Ollin deixa o adorno sobre um canto da bancada. No fim do dia, Mayah já não está mais no comércio e Tuareq ajuda seu pai a encerrar as atividades. O artesão avisa o filho para ir para casa, pois ainda vai falar com alguns amigos, mas que não demora. Tuareq encontra o adorno e, sem saber que foi presente de Mayah, o leva para casa, colocando num canto qualquer.

À noite, quando Donaji, Ollin e Tuareq estão em volta da fogueira durante o jantar, o filho olha para o pai e lhe faz sinais para que ele fale sobre Mayah com a mãe.

— Tem uma jovem que vai começar a ajudar na barraca — diz Ollin.

— Que jovem? — pergunta Donaji.

— Mayah. Uma moça que quer aprender sobre os códices e vai retribuir trabalhando na barraca.

— De onde ela é? Que referências você tem dela?

— Não a conheço, Donaji. É uma pobre moça que não tem ninguém por ela. Passa necessidades até.

— Se ela passa necessidade, podemos ajudar. Onde ela está agora?

— Não tenho ideia. Amanhã me informo melhor.

O jantar continua e eles passam a falar de Yareth e sua perigosa missão de vigiar Tonauach. Temem pela segurança do filho e irmão. Finalizam a refeição, se aconchegam em seus leitos e se entregam aos braços da noite.

◀— ≪ • ≫ —▶

Na manhã seguinte, a parteira termina o desjejum com a família e, enquanto pai e filho se dirigem à saída, ela, que também se prepara para sair, é interpelada pelo marido:

— Aonde vai, Donaji?

— Ver Mayah de perto. Vamos!

— Mas esse assunto eu posso resolver — responde Ollin, murchando os ombros.

Donaji ignora a resposta do marido e segue resoluta em direção ao mercado.

Mayah, que está encostada numa pilastra com os braços cruzados, avista o trio se aproximando ao longe, então prepara seu infalível discurso de comiseração. Ela limpa e arruma as coisas na barraca para causar boa impressão. A embusteira tem satisfação em maquinar mentiras, aplicar golpes, semear discórdias. Tanto que tem uma serpente pintada nas costas que vai do pescoço até o quadril. A víbora é, para ela, símbolo de poder e sedução. Quando a família chega, Mayah faz um ar gentil e cordial para Donaji e cumprimenta os homens com comedimento, para não despertar suspeitas na esposa. Assim que a parteira coloca os olhos na jovem, algo estala em sua cabeça. Donaji é uma linda mulher e está acostumada a ver jovens que passam necessidade com uma aparência bem mais judiada. Nota que a garota tem unhas bem cuidadas, cabelos sedosos, roupas de qualidade, calçados, adornos nos braços.

— Então você é Mayah? — pergunta Donaji.

— Sim — responde a jovem.

— Meu marido disse que você está precisando trabalhar. Onde está sua família?

— Não tenho ninguém. Cheguei não faz muito tempo. Éramos poucos. Cinco pessoas. Viemos de muito longe e vivíamos peregrinando desde que eu era criança. Minha família foi sucumbindo durante esse período e meu irmão foi o último a morrer. Fiquei só. Não tenho ninguém por mim.

Enquanto conta sua história, lágrimas banham sua face. O artesão se condói da vida dramática da menina.

— Mas você dorme onde? — questiona Donaji. — Deve ter uma casa, suponho.

— Encontrei um abrigo na floresta, uma cabana abandonada. Não sabia se ia conseguir trabalho por aqui. Tenho vagado à procura de alguma ocupação, ao menos em troca de alimento. Quando surge alguma coisa, é sempre trabalho bruto, pesado. A maioria das pessoas me ignora e me dá as costas. Às vezes, até há quem tente se aproveitar de mim, mas não me vendo por comida. — Então, ela resolve dar um golpe certeiro: — Depois de alguns dias sem comer, quando já não tinha forças direito, roubei comida dos animais para não morrer de fome.

O artesão ouve a moça comovido e determina:

— Isso não vai mais acontecer. Vá buscar suas coisas. Você ficará conosco em nossa casa.

Donaji olha para ele com os olhos arregalados e, com o rosto endurecido, cerra os dentes para não se exaltar. Era evidente que Mayah mentia, mas Ollin estava cego demais para notar a armadilha na qual estava se metendo.

A jovem agradece e vai saindo quando Donaji a segura pela mão:

— Vou com você.

— Não é necessário. Não se preocupe, pois não tenho muita coisa para trazer.

Mayah consegue se desvencilhar de Donaji e sai às pressas, quase correndo.

— Tomou uma decisão sem me consultar, Ollin — diz a esposa. — Decidimos tudo juntos. Não quero essa moça em nossa casa. Algo me diz que é um erro essa sua proximidade com ela.

— A moça é uma coitada, uma miserável. Não tem para onde ir. Está passando fome. Considerem a possibilidade de dividir o que temos. Podemos ajudar, estender a mão.

— Pelos deuses, homem! Que miserável? Que fome? As mãos dela são como o melhor couro, macio e suave. Ela nunca fez um trabalho pesado na vida. Aquele corpo cheio de carnes e curvas, peitos fartos, não corresponde a quem passa fome. Você está cego! Ou talvez encantado com a beleza dela.

— Você está com ciúme, Donaji. Entendo. Mas precisamos ajudá-la.

— É você que está cego e se desvirtuando de seus valores. Antes de ser solidário com ela, tem de ser ético com seus princípios, sua família. Seu comportamento não está sendo responsável.

— Pai, é evidente que ela não é quem diz ser — interveio Tuareq.

— Vocês estão de implicância com a moça — diz Ollin. — Prometo tentar arranjar outro lugar para ela ficar. Amanhã mesmo vou cuidar disso. Mas, por ora, peço a compreensão de vocês. Não custa ajudar.

— Ollin, eu não vou aceitar você tomar decisões sozinho que impactem em nossa família. Se você insistir nisso, eu também vou tomar minha decisão sozinha.

Donaji volta para casa sem compreender a atitude do marido. Sabe que ele tem hábitos solidários, mas o surgimento repentino e o comportamento estranho daquela jovem não podem ser ignorados. A beleza dela também não. "Será mesmo que ele não se sentiu atraído pela moça?", refletia Donaji. Ela tem consciência da bondade do marido, de sua responsabilidade como futuro escriba. Mas também o conhece como homem e sabe de suas vaidades, suas paixões, seu ego. "Será que estou vendo fantasmas? Sendo injusta? Criando monstros? E, na tentativa de vencê-los, estou me tornando um? Por que Ollin está agindo sem me considerar? Sem me ouvir? Esse não é meu Ollin", pensava Donaji a caminho de casa.

Mayah avisa a Tonauach que tudo está caminhando bem e que vai ser acolhida na morada do artesão. Ela diz que seduzir Ollin será mais fácil do que imaginavam. Com receio de ficar a sós com Donaji, a moça volta com seus poucos pertences para o mercado, e não para a casa da família. O artesão já começa a mudar de comportamento por causa dela. Gosta cada vez mais dela. Mayah é divertida, jovem, radiante, está sempre tão reluzente, e não esconde a satisfação em ter a companhia de Ollin. Quanto mais se aproxima da moça, mais se distancia de Donaji, e não se dá conta de como está agindo. Tuareq observa o modo arrebatado do pai e pressente que uma tempestade tenebrosa se aproxima de sua família.

Ele tenta mais uma vez dissuadir o artesão:

— Pai, não leva essa moça para nossa casa. Pensa na mamãe, na nossa família.

— Não posso voltar atrás. Ela é só uma moça inocente, esforçada, quer aprender, sair da pobreza.

— Pai, me escuta. Você só não se tornou um escriba ainda porque o anel e o códice foram roubados. Mas suas atitudes sempre foram pautadas em coerência com seu discurso. Se você quer fazer o bem a alguém ferindo outras pessoas, onde está o valor disso? E você vai ferir justamente sua família, que lhe dá sustentação para ser quem você é? Você e a mamãe construíram uma fortaleza. Não destrua isso, pai!

Ollin fica em silêncio, abaixa os olhos e volta a olhar o filho, desconcertado. Sai para buscar mais palha na floresta. Mayah se aproveita do fato de que o movimento da barraca diminui para ir atrás de Ollin. Quando ele olha para ver quem se aproxima, diz sorrindo:

— Mayah...

— Vim me desculpar caso esteja causando algum transtorno para você. Mas eu não tenho ninguém — ela abaixa a cabeça e começa a chorar.

Ollin se aproxima mais dela e seca suas lágrimas com a ponta dos dedos.

— Ei, tenha calma. Tudo vai se ajeitar — diz o artesão.

Mayah o abraça e sussurra:

— Vamos nos encontrar aqui mais tarde, longe de todos.

Tenta beijá-lo. Ollin a repele, atordoado.

— Ei! Espere. Há um engano aqui.

— Estou notando que você me quer. Eu também o quero muito.

Ele se desvencilha dela, pegando o feixe de palha. Anda às pressas para a barraca, que já está perto de fechar. Mayah pensa que se precipitou. Há uma tempestade na consciência do artesão. "Como pude ser tão inconsequente? Agora, como evito que ela vá para minha casa?", reflete ele em agonia.

De volta ao comércio, Ollin finaliza o atendimento de alguns clientes que estavam por ali. Mayah retorna. Ele olha para ela e diz a Tuareq para avisar Donaji que vai se encontrar com um sacerdote no Portal do Mercado, assim que fechar a barraca. Mayah percebe o recado e entende que ele mudou de ideia e vai encontrá-la. Sai antes e espera por ele no local combinado. O artesão, no entanto, alcança Tuareq no caminho e diz que a história de encontrar o sacerdote foi uma desculpa para Mayah acreditar que ele iria encontrá-la. Conta o ocorrido ao filho e lhe agradece as palavras. Diz que foi imprudente. Reconhece que por muito pouco não quebrou as promessas que fez a Donaji, de preservar os importantes valores da sua família.

— Sinto vergonha, uma contrição se agigantando no meu peito por ter sido repreendido por você, filho, ao mesmo tempo que me orgulho do seu caráter. Vamos para casa. Sua mãe nos espera.

— E Mayah? — pergunta Tuareq.

— Não é mais problema nosso — diz Ollin. — Fiz ela acreditar que eu iria encontrá-la para que ela não fosse conosco para casa.

Os dois retornam e encontram Donaji do lado de fora, mantendo a sopa quente sobre a brasa fumegante. Seu semblante demonstra que está contrariada.

— Donaji, é difícil o que vou dizer, mas preciso falar olhando em seus olhos — começou Ollin. — Mayah tentou me beijar e me propôs encontrá-la distante dos olhos de todos. Você tinha razão, toda razão. Confesso que fui imprudente ao me aproximar demais dela. Mas não sou irresponsável, leviano, inconsequente. Embora eu não tivesse qualquer interesse senão o de ajudá-la a sair da pobreza e da ignorância, não percebi que machucava o coração de vocês. Achar que estou sempre preparado para tudo pode me colocar em situações perigosas, se eu me descuidar. Me perdoem. Vocês são meu esteio, meu baluarte, meu sustentáculo.

Donaji escuta a fala do marido e, após um momento de silêncio, diz:

— Eu pedi a você, Ollin. Você não me ouviu. Me criticou. Eu estava decidida a deixar você. Não estava mais reconhecendo o homem com quem me casei, que tinha tantas virtudes que mal podia enumerar todas. Mas a virtude só é virtude quando esses valores são colocados à prova e se consegue impedir que sejam atacados, manchados, destruídos. Está nos códices. A virtude se divide em duas: a intelectual e a moral. E é esta última que define o caráter. Eu sei que a beleza de Mayah atraiu você. Não sou ingênua. Eu também sou cortejada, Ollin. Percebo os olhares me cobiçando quando passo. Mas no dia em que me enlacei com você eu fiz uma escolha e empenhei minha palavra de que honraria nossa união. Os deuses nos abençoaram por isso. Então, ignoro os olhares, as tentativas de aproximação, as investidas. Me faço de cega e surda. Para cada um que se arvora, deixo claro que não tenho interesse. Escolhi você. Me comprometi em fazer sua opinião a mais importante de todas. A lealdade, antes de ser devida a alguém, é um compromisso. Não posso me comportar como se fosse sozinha, e espero o mesmo de sua parte. Qual a vantagem de ser leal só quando você está me olhando ou só apoiá-lo quando sua opinião for igual a minha? Os valores afetivos precisam ser cuidados amiúde. Se o couro tiver furos, acaba por rasgar. A cerâmica, se tiver trincas, vai partir inteira.

Ollin segura as mãos de sua mulher. Ela se levanta, entra e volta segurando o adorno de penas azuis.

— O que é isto? Tuareq encontrou na barraca.

O marido engole seco.

— Eu não contei para ele, porque achei sem importância — Ollin começa a explicar. — Foi um presente de Mayah. Pertenceu ao irmão dela. Foi só um gesto de agradecimento. Não pude recusar. Mas não usei. Não faz nenhum sentido para mim esse presente.

— Você era como uma tarde de primavera para mim, como um pôr do sol. Acreditar que eu era para você a única no mundo aquecia meu coração. Mas, ao se aproximar dessa moça, você se distanciou de mim.

— Eu cometi um erro por achar que poderia decidir tudo sozinho, quando na verdade somos um. Errei em me aproximar tanto dela. Tudo o que faço impacta em todos nós. Eu reafirmo cada palavra empenhada a você. Eu preciso de vocês comigo e eu os amo mais que tudo. Vou devolver o presente a ela.

Donaji sente uma dor incomensurável ao ouvir essas palavras, então diz:

— Não posso impedir que você volte a falar com ela e até que a encontre novamente, se quiser. Mas, se você der um passo na direção dela, eu não serei mais a sua mulher. — Entrega o adorno a Ollin e completa: — Todos fomos atingidos por uma angústia ética. Estamos nos digladiando internamente com as consequências de nossas escolhas. Um sentimento de desespero nos consome originado pela necessidade de tomar decisões morais. Quanto mais elevado é o ser, mais ele sofre . Sofre quando não sabe usar seu discernimento. Melhor seria não termos tanto conhecimento.

Ollin joga o adorno na brasa, transformando-o em cinzas em segundos. Ele volta a segurar as mãos de sua mulher. Donaji está ferida, digere condoída tudo o que aconteceu e ainda não sabe o que vai fazer.

◆ « • » ◆

Mayah, percebendo que Ollin a deixou esperando, vai até a casa do artesão e, à espreita, vê o casal. Ela sai desapontada por não ter conseguido seu intento. Dirige-se ao palácio para comunicar seu fracasso a Tonauach. Tuareq, que está perto da janela, vê Mayah passando sorrateira e, sem saber para onde ela vai, a segue furtivamente. Vê que ela se esgueira pelos muros do palácio e chama um soldado. Este se aproxima, ouve o que ela diz e sai, enquanto ela permanece esperando. Escondido, Tuareq vê Tonauach se aproximar e consegue escutá-lo dizendo:

— O que faz aqui, Mayah?

— Não tenho boas notícias.

"Os dois se conhecem?", se pergunta Tuareq. "Como? Por que ela não pediu emprego a ele em vez do meu pai?".

— Fala logo, pois não estou com paciência — manda Tonauach.

— Ollin não caiu na armadilha. Quando ia me levar para a casa dele, voltou atrás. Teve uma falha, mas não foi adiante. Algo o trouxe de volta à razão. Dei um presente a ele inventando uma história, mas ele o jogou no fogo. Realmente, tem princípios muito fortes, uma determinação incrível de se manter fiel à sua família. Por isso é tão admirado pela sociedade e prospera diariamente. Essa riqueza material e afetiva que ele tem causa admiração em seus amigos, pois nem todo mundo consegue isso. Nem mesmo você, que já nasceu nobre. Alguns até conseguem, mas vão deixar tudo escapar pelos dedos. Só os realmente bons, fortes e sábios alcançam tal nível de desenvolvimento e equilíbrio. Ele estava saindo do caminho, mas desistiu do desvio. Pressentiu o perigo. Arrependimento também é uma virtude.

— Cale-se! Não te paguei para você admirar aquele verme. Você tinha de fazê-lo trair a mulher. Ele seria condenado à morte e odiado pela família e por todos os seus amigos. Perderia a honra, a boa reputação, ao verem que ele era indigno de consideração. Devolva a pepita que lhe dei, sua miserável imprestável.

Tonauach pega Mayah pelo pescoço. Tuareq fica assombrado com o que ouve.

— Eu não tenho mais a pepita — diz a moça. — Já comprei roupas novas e outras coisas, e minha parte do trato foi cumprida. Só vim lhe dar uma satisfação. Me deixe ir embora. Não vou perturbá-lo.

Tonauach a solta e emenda:

— Não vai mesmo!

Mayah se vira e começa a caminhar na escuridão. De onde Tuareq está, consegue vê-la saindo. Ele se encolhe. Logo surge Tonauach no encalço dela e a golpeia na cabeça com uma pedra. Ela cai. O militar desfere mais cinco ou seis golpes. Tuareq se treme inteiro. Se Tonauach o encontrar ali, estará morto também. O assassino olha em volta e, não tendo onde colocar aquele corpo, puxa um pouco de palha para cobri-lo até decidir o que fazer. Tuareq se encolhe no canto escuro e, quando o algoz sai, ele corre de volta para casa.

Eu tomo nos braços a alma ainda quente da jovem. Há ainda um pequenino fio de vida, mas que não pode mais ser recuperada. Seu coração pulsa lento e fraquinho, e o ar quase não entra mais em seus pulmões. A cabeça está esfacelada na parte de trás. Os dentes e o nariz estão quebrados. Parou de respirar sem nenhum esforço. Tudo nela silencia. Acabou. Recolho seu espírito. Hora da grande travessia.

Tuareq conta aos pais a armação de Tonauach e pede a compreensão de sua mãe.

— Mayah está morta? — indaga Ollin. — Pelos deuses! Meu filho, você correu muito perigo!

— Todos nós corremos, pai. Olha o que aquele louco fez com nossa família! Yareth também se arrisca estando lá no palácio.

— É verdade, meu filho. Seu irmão precisa sair de lá. Isso é loucura!

— Mãe, perdoe meu pai. Ele foi vítima de uma cilada.

— Viver é isso. Cada um é responsável pelas escolhas que faz, Tuareq. E precisa conviver com as consequências dessas escolhas — diz Donaji. — Eu ainda não posso decidir nada. É fato que a atitude de Tonauach nem os deuses perdoariam. Mas, agora, temos de pensar em seu irmão. Tudo o que se passou fica entre nós. Não é preciso expor as fragilidades de ninguém aí fora. Nossas feridas devem ser tratadas somente por nós, em respeito aos laços que mantivemos apertados até agora. Cada um de nós deve continuar em sua rotina. Dormirei na cama de Yareth por enquanto. Você, meu filho, presenciou um assassinato. Deveria denunciá-lo. Mas, se o fizer, sua vida correrá perigo. Por enquanto, eu o proíbo de falar qualquer coisa a respeito dessa morte, até porque Tonauach vai sumir com o corpo de Mayah. Vamos aguardar os próximos dias para decidir o que fazer.

Donaji não costumava ter uma postura imperativa. É verdade que sempre foi determinada, forte, decidida. Mas não autoritária. Ela e Ollin refletem sobre muitas coisas e percebem mudanças internas em suas convicções. Não são piores nem melhores. Apenas não são mais as mesmas.

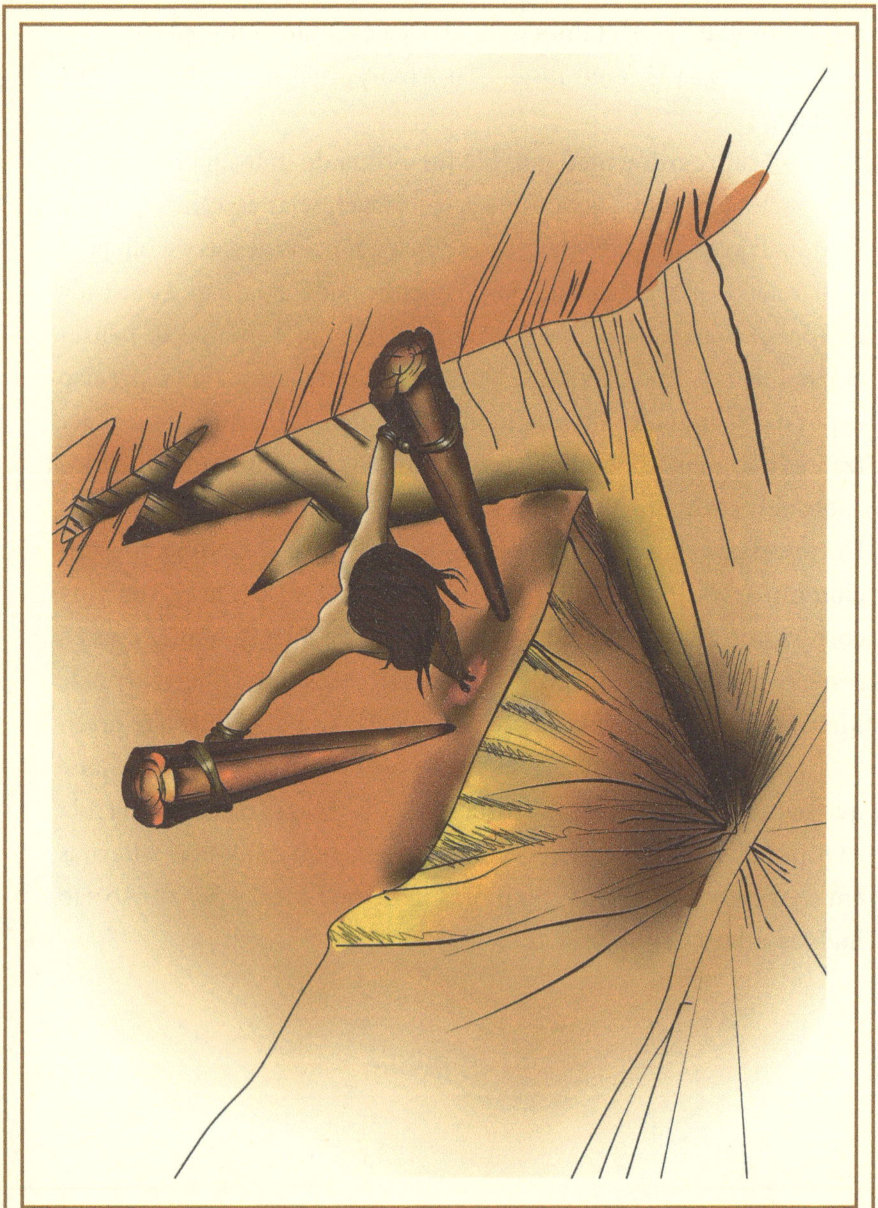

A CEGUEIRA

Ollin segue dividindo seu tempo entre o artesanato e suas aulas na Escola Maior. Sua mente e sua vida estão voltadas para o aprimoramento pessoal e coletivo e para a reconquista da confiança de sua família. Depois de ter ajudado Macui, outros interessados em ter seu próprio negócio procuraram por sua orientação. O artesão emprega suas forças no desenvolvimento financeiro de famílias e explica que não só produtos podem ser ofertados, mas também serviços. Além disso, ensina a não gastarem tudo o que ganham, para que tenham como prosperar. Várias pessoas que não estão na condição de escravos têm conseguido sustento construindo casas, consertando armas, limpando lugares, cozinhando e fazendo tantas outras coisas que não enxergavam como possibilidade de proventos. Ollin partilha esse entendimento. E quanto mais ele é considerado pelos comuns, mais a ira de Tonauach aumenta.

Certa manhã, numa incursão dos militares pelos arredores de Huacán, Yuma começa a ficar com a visão embaçada. De início, pensa que foi algo que ingeriu. Depois, voltando para o palácio e sem melhorar, acredita estar doente e fica de cama pelos dias seguintes. Estranhamente e sem razão, vai piorando, não enxergando mais que alguns vultos. Subitamente, outros guardas começam a apresentar a mesma limitação, e em duas semanas metade dos militares é acometida pela inexplicável cegueira.

Montezuma reúne seus sacerdotes e escribas. O caso é grave, pois a segurança de Huacán e a sua própria estão em risco. Além disso, toda a fiscalização do comércio é suspensa. Com receio de contágio, os guardas afetados são isolados. Yareth não apresenta sinais da cegueira, o que o leva a acreditar que a causa não é uma doença, mas algum fator externo, pois não há nenhum outro sintoma. Ele aprendeu a observar essas coisas com Mamaué. Lembra-se de ter feito algumas anotações, que se lembra de consultar quando chega em casa.

O imperador acredita que seja um castigo dos deuses por algo que Tonauach possa ter feito e o pressiona para que ele acalme a fúria das divindades. O chefe militar, acreditando se tratar de um castigo pelo assassinato de Mayah, discute o caso com os sacerdotes e os convence de que os deuses vão precisar de uma oferenda que lhes encante a visão, pois só assim os guardas voltarão a enxergar. Ele os induz a acreditarem também que é necessário sacrificar uma jovem donzela e que, em vez de lhe extraírem o coração, ela deve ser escalpelada no alto da Pirâmide do Sol e depois deixada no Sumidero para morrer.

Com a concordância do conselho, Tonauach ordena a seus homens que tragam dez donzelas de doze a quinze anos, filhas de comerciantes, para que uma seja escolhida para o sacrifício. Em segredo, pede a um guarda que traga a filha de Macui. Tonauach está totalmente fora de seu juízo. A desforra é seu mote. Vê no sacrifiício a chance perfeita para se vingar do cozinheiro, mas não revela a ninguém o seu intento.

Os guardas vão às casas e arrancam as meninas dos seios de seus lares, sem que seja possível suas famílias impedirem tal violência. Quando eles voltam com as jovens, já é tarde da noite e Montezuma e o conselho sacerdotal já se recolheram. Elas são colocadas todas numa das alcovas do palácio, sem sequer saberem por que estão lá. Amedrontadas e banhadas em lágrimas, mal conseguem se colocar de pé. Tonauach é avisado de que elas já estão nas dependências do palácio.

Em suas anotações, Yareth lê que alguns cogumelos podem causar cegueira momentânea. Acredita que encontrou a causa da perda de visão dos guardas, pois, no dia da diligência pela floresta, pararam num riacho onde vários militares lavaram seus rostos, e os cogumelos estavam por toda parte. Ele corre ao palácio para avisar Tonauach de que não será necessário o sacrifício, uma vez que a visão será recobrada espontaneamente. O militar lhe pergunta:

— De onde tirou essa informação?

Yareth não pode lhe falar de Mamaué. Então diz que descobriu sobre os cogumelos quando ficou perdido na floresta. Tonauach não lhe dá ouvidos e diz que sua suposição é bobagem e manterá o sacrifício.

Em sua alcova, o militar prepara duas sacolas pequenas: uma com os nomes de todas as meninas, na qual está também o nome de Elitza, e outra na qual ele coloca dez rolinhos com o nome dela. Sua mente está povoada de monstros e fantasmas. Tanto que, desta vez, pensa em fazer Macui sofrer sobremaneira pelo sacrifício da filha.

———— ‹‹ • ›› ————

Na manhã seguinte, o povo é avisado de que deve se reunir em frente à pira. Tonauach leva escondido sob suas vestes o saquinho que contém somente o nome de Elitza e entrega a Malec o outro com os nomes das dez donzelas escolhidas, para que sejam lidos um a um. Yareth está com outros guardas próximos a Tonauach e o observa com discrição, pois o chefe militar parece um pouco nervoso. O retumbar dos instrumentos estremece o chão, sobe pelos troncos das árvores e escapa por suas copas fazendo tremular cada folha. Terminada a leitura dos nomes, Tonauach os devolve para dentro do saquinho de pano e, num movimento sorrateiro, troca-o pelo outro, antes que Malec comece o sorteio. Inocentemente, sem saber da trama do soldado-mor, Malec coloca a mão na sacolinha e retira um rolinho. Vai abrindo. O povo e os tambores silenciam. A multidão se aglomera. Macui se aflige. Malec anuncia:

— Elitza!

O alarido dos comuns preenche todo o lugar. Macui, atormentado, é consolado por Ollin. Há um delírio coletivo, pois o povo teme que a cegueira se espalhe além dos muros do palácio e somente pelo sacrifício será possível acalmar a ira dos deuses. Tonauach joga o saquinho no fogo e, antes mesmo que desocupem o pátio, uma forte chuva os surpreende, fazendo muitos interpretarem aquilo como um sinal positivo da divindade. A chuva apaga a pira.

Nove jovens são liberadas pelo conselho e Elitza começa a ser preparada para o sacrifício, mas não revelam uma única palavra a ela. Apenas dizem que está ali para ajudar Huacán a prosperar. Ela não entende como pode fazer isso. Cinco escravas a alimentam e a banham com óleos e perfumes. Vestem uma túnica nela e soltam seus cabelos. Dão a ela um chá para mantê-la acordada, mas desligada do mundo à sua volta. Enquanto isso, Tonauach se embriaga em seu quarto, comemorando seu intento, e ri insanamente às paredes.

Elitza é levada em cortejo à Pirâmide do Sol. Sobe os duzentos e quarenta e oito degraus apática, indolente, enquanto Macui, na companhia de Ollin, se esvai em sofrimento. Em outro canto da cidade, Donaji não sai de casa, atormentada por ter sido, de alguma maneira, a responsável pelo sacrifício de Elitza. Desespera-se, pois sabe que se revelar o que fez será condenada à morte.

A menina chega ao topo da pirâmide e é desnudada. Com os pulsos amarrados, é deitada sobre a mesa de pedra. Seus algozes começam o escalpelamento pelo pescoço. Executam o ato com cuidado para que Elitza permaneça viva nas próximas horas. Primeiro, soltam as amarras e a colocam sobre o tampo frio, iniciando a despele pela frente. O entorpecente que lhe deram impede que ela sinta dor. Sua aparência é repugnante. Sua carne viva fica exposta e seu sangue verte. Viram a jovem para continuar o escalpelamento no dorso. Elitza está vermelha pelo sangue que escorre. Descem com ela da pirâmide e seguem para o Sumidero. A ordem de Tonauach é que ela seja levada ao topo do penhasco. Lá foram levantadas colunas de pedra, onde a jovem ficará acorrentada à espera da morte chegar.

⟵ « · » ⟶

Enquanto levam Elitza para o alto do Sumidero, Donaji não suporta a culpa que carrega e vai ao palácio procurar por Tonauach. Odeia-o pelo que fez a Tuareq quando pequeno, a Yareth e a Ollin. Mas um erro não elide o outro. Elitza, Macui e Yari. "Pelos deuses! Quantos inocentes!", ela reflete.

Tonauach recebe Donaji com desdém:

— Ora, ora... Veio pedir emprego ou uma promoção para o inepto do seu filho?

— Nem uma coisa nem outra. Tenho algo de seu interesse para contar.

— Donaji, não seja imbecil. Só a recebi para não perder a oportunidade de vê-la se humilhar diante mim. Não há nenhum assunto seu que me interesse. Saia daqui!

— Me ouça, por favor! Você está cometendo um grande erro e a culpa é minha!

— Eu não cometo erros! Tudo o que eu faço é calculado. Eu sou uma autoridade e tudo o que eu faço tem um propósito. Já disse, saia!

— Mas enviar uma menina inocente ao sacrifício? Peça que parem! Traga ela de volta!

— Está maluca! Como ousa interferir nas decisões do imperador? Do Conselho? Saia ou mandarei prendê-la!

Tonauach dá as costas a Donaji. Ela é tomada de coragem e brada:

— Mesmo se ela for sua filha?

Ele se volta lentamente para ela, olhando em seus olhos.

— Minha filha? O que quer dizer, parteira? Do que você está falando?

Donaji treme inteira. Gagueja e as lágrimas descem por seu rosto. Suas mãos gelam e o coração dispara.

— Aquele dia, na cachoeira — ela começa a dizer. — O dia do parto de Yari e da outra mulher. Eu troquei as crianças. O Téo não é seu filho. Elizta é.

Tonauach avança sobre Donaji e a pega pelo pescoço. Ela tenta se soltar, sem sucesso.

— Sua miserável! O que está dizendo? Vou matá-la!

Quase sem conseguir falar, Donaji sussurra:

— Corra para salvar sua filha...

Tonauach está enlouquecido e bêbado. Arrasta Donaji pelo pescoço até um lado do quarto, pega um pequeno frasco e coloca na boca de Donaji algumas gotas do líquido contido nele. É veneno. Ele a solta. Chora compulsivamente no chão, aniquilado.

O militar sai cambaleante, aflito. Vai até a Pirâmide do Sol, mas Elitza não está mais lá. Donaji, sentindo o fel queimar a garganta, corre para casa, pois sabe que não terá muito tempo de vida.

Em breve, terei duas almas para levar deste mundo.

◀——《 · 》——▶

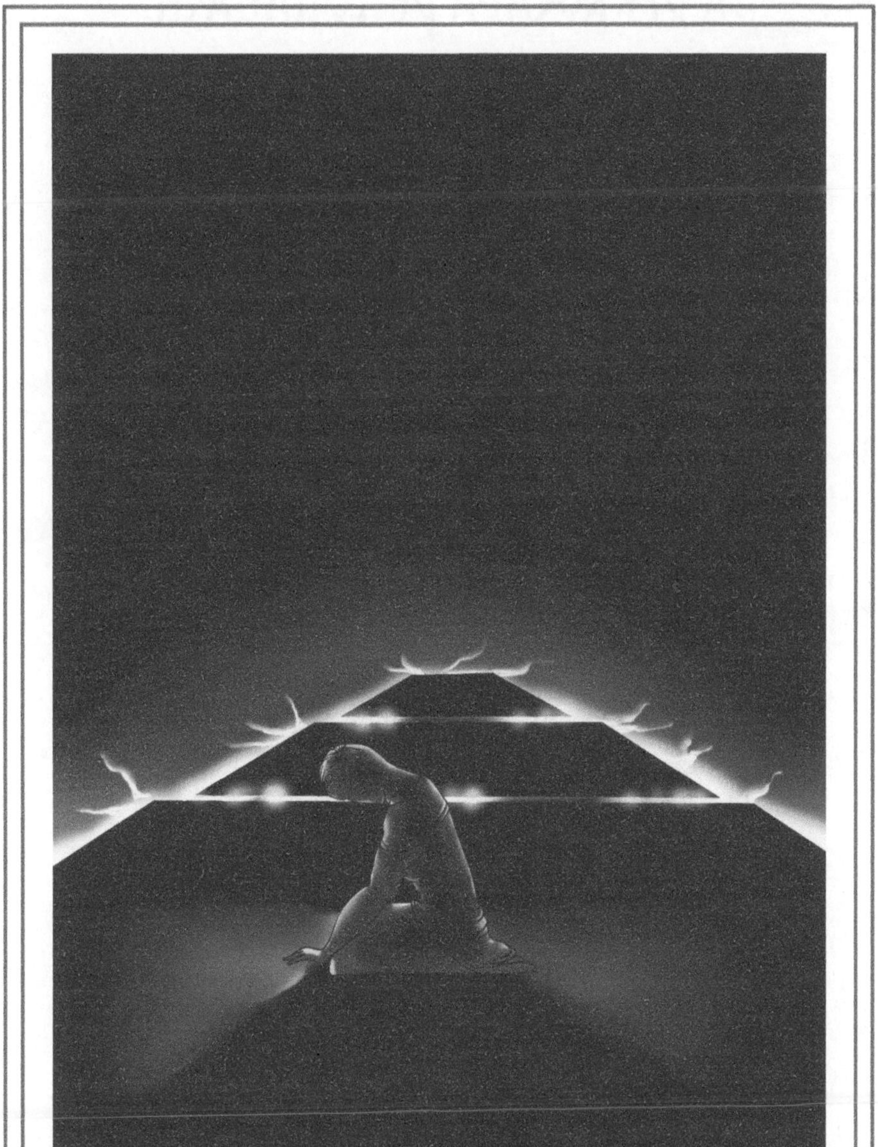

A DERROCADA DE TONAUACH

Yareth, passando pelo pátio central do palácio, se aproxima da pira e vê ali jogado o saquinho que Tonauach lançou no fogo, mas que por conta da chuva não queimou. Lembra-se do dia em que foi para a prisão e que seu pai lhe contou que no lugar de cacau havia milho no saquinho. Abaixa, pega o objeto na pira e despeja seu conteúdo na palma da mão. Nenhum rolinho foi queimado. Fica surpreso ao descobrir que em todos eles há o nome de Elitza. Corre até Malec e lhe revela a descoberta, avisando que irá ao Sumidero para tentar salvá-la.

Malec conta tudo a Montezuma, que dá ordens para prender Tonauach. Não há tantos guardas disponíveis, já que muitos estão em quarentena e outros no Sumidero. Será preciso esperar que os guardas retornem do penhasco para sair ao encalço do militar. Enquanto isso, um dos guardas encontra Tonauach e lhe avisa que Yareth encontrou o saquinho que não foi queimado, e que o imperador já deu ordem para prendê-lo. O guarda o aconselha a fugir.

Tonauach se embrenha na floresta. Afligido por suas lembranças, debate-se entre cipós, sombras, imagens ilusórias de Unfertl, Yareth, Mayah, deuses, monstros, Elitza.

Os guardas que estão no Sumidero, sem saber que a trama de Tonauach foi revelada e que Elitza é filha dele, amarram a jovem em pé, escalpelada e inerte, presa pelos pulsos, às duas pilastras de pedra. Macui e Ollin sequer conseguiram subir ao topo do penhasco, pois foram impedidos pelos guardas. O artesão demora para voltar para casa, já que tem de consolar Macui e o acompanhar até o abrigo de um outro amigo deles, que se oferece para cuidar do comerciante. Já é fim de tarde e todos saem do desfiladeiro, deixando a menina morrer aos poucos. Yareth se esconde e espera para se aproximar de Elitza.

Ollin chega em casa. Donaji está caída no chão, agonizando. Eu já estou ao lado dela esperando seu último suspiro, que não tardará. Ela, sem forças, conta tudo ao marido.

— Donaji, não! — grita Ollin. — Não me deixe! Não! Por favor! Vamos provocar seu vômito! Vamos…

— Ollin… Ollin… Não dá mais tempo — diz Donaji com muito esforço. — É tarde. Diga a nossos filhos que me perdoem e que eu os amo.

— Não, Donaji! Não me deixe!

Ela sussurra:

— Você é meu amor. Sempre será.

Ollin sai desesperadamente e procura em volta da casa uma erva. Ele a macera com um pouco de água ardente de milho e dá para a esposa beber. Esse preparado provoca o vômito. Dá certo. Há uma esperança, uma chance de que ela sobreviva. Vê-la agonizando é uma dor insuportável. Ela que é seu verdadeiro amor. Sua companheira, sua confidente. Ninguém o compreende tanto nem o ama tão grandemente. Ele vela por ela incansavelmente.

— Donaji, fica comigo. Resista — murmura ele.

Ela olha para ele com ternura, esboça um sorriso e sussurra:

— Eu te amo muito. Vou estar sempre em você.

Seus lábios gelam, os olhos param de piscar, o coração se cala para sempre. Ollin morre um pouco com ela. Nunca vi um amor assim. O amor forte só consegue existir na perfeita unicidade de dois entes. E como não existem dois indivíduos absolutamente idênticos, um espera encontrar no outro as qualidades que correspondem melhor às suas próprias qualidades. Quanto mais raro é esse encontro, mais excepcional é também esse amor. Quem tem em si a expectativa desse amor compreende esse sentimento.

Yareth se aproxima de Elitza. É horrenda sua aparência. A águia observa também. Uma menina tão frágil e delicada com o sangue a escorrer. Ele tenta soltá-la das correntes, mas não consegue. Dá a ela água, mas ela ainda parece estar em transe. A cabeça pendida para frente e os cabelos duros, tingidos de vermelho. Lava-os e os enrola prendendo com um graveto. Ela não fala e seu olhar permanece estático. Ele fica a noite toda sentado ali para afugentar animais e espantar mosquitos e formigas. Resolve fazer uma cabana com folhagens para protegê-la do sol e do calor. Colhe algumas frutas ali para alimentá-la, mas ela não come. Ao cair da tarde, Yareth resolver ir até sua casa para avisar seu pai. Antes de partir, acende uma fogueira perto de Elitza para protegê-la de ataques ferozes. Quando chega, encontra o pai e o irmão preparando a cova. Que tristeza para Yareth. Mais um crime de Tonauach, agora contra sua mãe.

— Então, Elitza é filha dele? — pergunta Yareth, incrédulo.

— Sim, meu filho — confirma Ollin. — E você tentando salvar a filha do seu algoz. Que capricho dos deuses! Mas isso não importa.

— Meu pai, não posso deixá-la morrer. Ela é vítima do ódio. A mamãe errou, mas Tonauach errou muito mais. E tem outra coisa: Macui tem de saber que Téo é seu filho.

Os três sepultam Donaji no jardim da casa, de onde exala o perfume das flores. Yareth e Tzaly voltam para Elitza. Ela permanece imóvel. Yareth manipula algumas ervas e a faz tomar. Isso ajuda a conter o sangramento. Está bastante preocupado, pois teme não conseguir salvá-la se não a tirar dali, mas não consegue soltá-la. Está bem presa.

Cinco dias se passam. Yareth preenche o tempo treinando seus movimentos com a espada e conversando com a menina, como se ela pudesse escutá-lo. De repente, enquanto está treinando de costas para ela, os pulsos franzinos dela se soltam das correntes e seu corpo vai ao chão. Yareth leva um susto. Sabe quanta dor ela deve estar sentindo, então enrola seu corpo em grandes folhas para poder carregá-la. Toma Elitza no colo e vai com ela para o vilarejo de Mamaué. Carregar a menina pela mata, em carne viva, enfrentando os perigos da floresta e lutando por sua vida, exige que ele faça inúmeras paradas, principalmente para hidratar a jovem. O percurso todo dura sete dias.

Ao chegar ao vilarejo, Yareth pede à xamã que cuide dela, pois tem de encontrar Tonauach e levá-lo preso. Conta que ele matou sua mãe quando soube da troca dos bebês e enviou Elitza ao sacrifício somente por vingança, pensando ser filha de Macui. Mamaué lhe diz que os deuses estão muito zangados com o militar e que o castigo dele não acabou ainda. Yareth dorme uma noite no vilarejo para descansar e refaz o caminho para Huacán no dia seguinte.

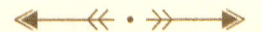

◆—《 • 》—◆

Tonauach permanece todos esses dias escondido na floresta, totalmente desorientado. Por fim, chega ao alto do Sumidero. Vê as pilastras de pedra onde Elitza foi acorrentada e o sague dela por toda parte, mas há um rastro na direção da mata densa. Pensa que foi levada por um animal. Senta-se e chora copiosamente. Não por ela. Por si mesmo. Por ter sido enganado e não esperto o bastante para perceber que Téo não era seu filho. Tonauach não tem piedade de ninguém, nem mesmo da própria filha. Não compreende sentimentos e emoções. Não consegue experimentar o que sentem os outros indivíduos. Só enxerga as próprias necessidades. Seus desejos, suas ambições, seus caprichos e interesses vêm sempre em primeiro lugar, em detrimento do bem-estar das outras pessoas. Voltar com Elitza viva para o palácio seria uma forma eficaz de mostrar a todos o seu aparente arrependimento. Para Tonauach, afetividade não é nem nunca foi um comportamento que ele aprovasse. Demonstrar piedade é o mesmo que demonstrar fragilidade. Se nem mesmo com Yuma foi capaz de criar um vínculo de amor, que dirá com Elitza, cuja mão ele nunca segurou.

Tonauach se levanta e decide voltar à mata quando surge Yareth com a águia. Os dois param e se olham fixamente. O vento sopra, as nuvens vão fechando o céu. Trovões e raios rasgam sobre suas cabeças. Tonauach saca sua espada e dá os primeiros passos.

— Seu miserável! — brada ele. — Pena não ter morrido na prisão naquela oportunidade! Mas de hoje você não passa. Primeiro vou matar você, depois aquele menino sem nobreza que tive de criar como meu filho.

Yareth também desembainha sua espada.

— Tonauach, não quero duelar com você, muito menos matá-lo. Meu dever é conduzi-lo ao imperador. Somente ele pode determinar seu destino.

— Não seja covarde, Yareth. Lute como homem! E morra como um derrotado! — Tonauach ri e avança em direção ao oponente.

Yareth não quer o combate, mas se não se defender tomará os golpes do carrasco. Ele apenas se protege, esquiva, desvia, evade e não sofre um único ferimento. Sua postura vai irritando o agressor.

Mas Tonauach não é o chefe militar por acaso. Sua habilidade com a espada é reconhecida há tempos. Astutamente, ele vai conduzindo Yareth à beira do penhasco. Cair no Sumidero é fatal. Ainda que escape de bater nas rochas, não poderá sobreviver depois da queda. Quem cai nesse abismo tem os ossos quebrados em muitos pedaços. E o rio suga tudo violentamente. O que entra ali desaparece por completo.

Os dois estão à borda do precipício. Um único descuido e escorregam os dois para a morte. É tão alto que o vento desce pelo paredão e volta urrando como um monstro faminto. Yareth pressente o perigo e se abaixa para escapar da rajada do vento. Estica a mão para que Tonauach se apoie nele. Tzaly, observando tudo, levanta voo e se mantém sobre eles a uma altura de trinta metros. O vento está forte e o militar está sem equilíbrio. Os guardas do palácio chegam e veem os dois à boca do Sumidero. Yareth insiste:

— Se abaixe e segure minha mão!

— Não preciso de sua ajuda! Posso sair daqui sozinho!

O militar se apoia no chão e começa a escapar, mas a águia, num mergulho, despenca como uma flecha veloz do céu e avança sobre Tonauach. Uma ave de rapina de grande porte chega a pesar até oito quilos e suas asas chegam a dois metros de envergadura. Tzaly encolhe as asas para o ataque. Ao avançar sobre Tonauach, a ave enfia suas garras no rosto do militar, furando seus olhos e ferindo toda sua face. Yareth grita:

— Tzaly, não!

Tonauach solta um brado, dá três passos para trás e cai. O vento forte faz o corpo do chefe militar rebater contra o rochedo várias vezes, mas, logo depois da segunda batida, ele já está inerte. Posso senti-lo sem vida antes mesmo de chegar às águas. E quando seu corpo submerge, há uma escuridão profunda dentro e fora dele, por sua essência tenebrosa. Agora é meu momento de agir. Mergulho e encontro o corpo de Tonauach a uma profundidade nunca antes alcançada por nenhum outro vivente de Huacán. Aqui, a escuridão é total. Antes mesmo de eu poder tocar sua alma, vejo espíritos malignos lutando entre si e o devorando impiedosamente. Para ele não há travessia.

◀—⟪ · ⟫—▶

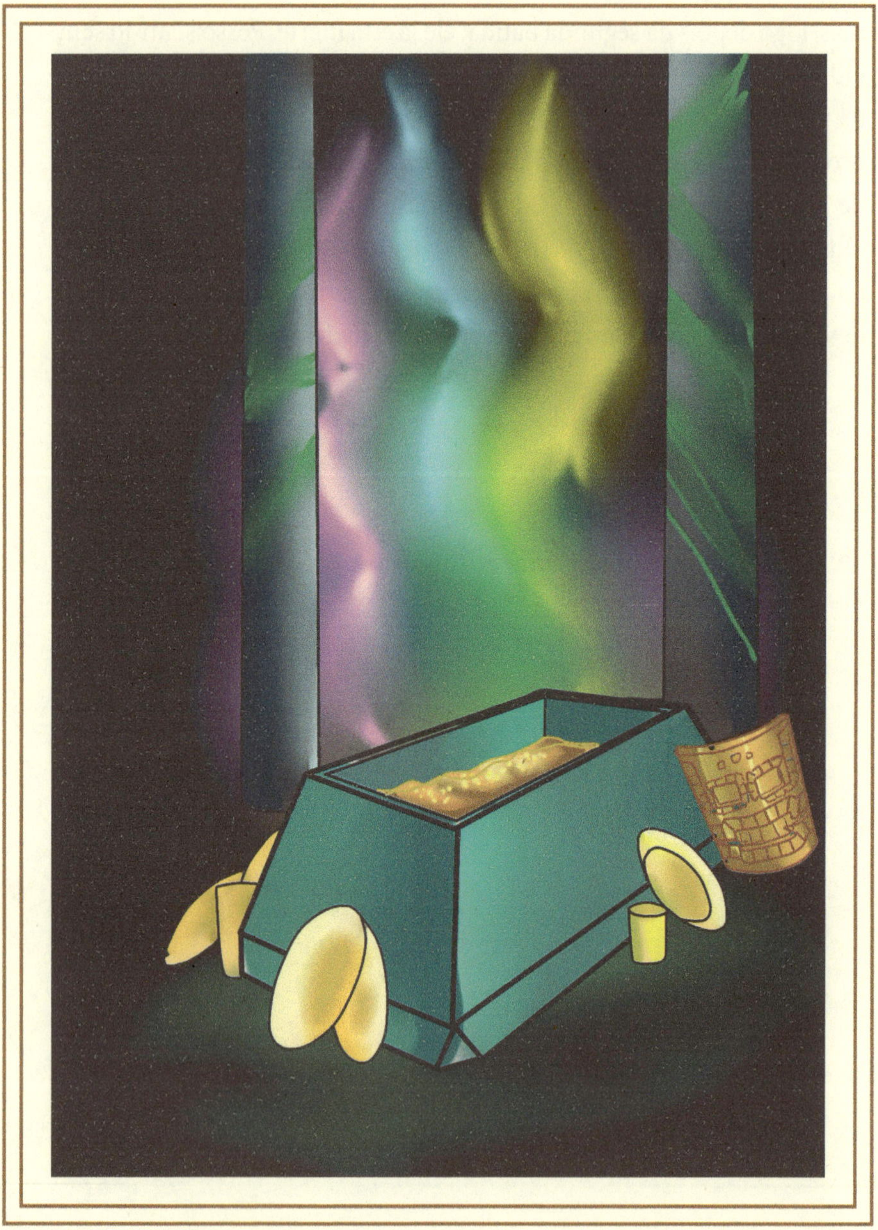

O TESOURO DE TONAUACH

Após a morte de Tonauach, Yuma perde sua referência e passa a vagar sem rumo. Ollin o encontra sozinho e desolado. O artesão lhe fala que é preciso contar a Montezuma que ele foi o autor do furto no comércio central tempos atrás e limpar a honra de Yareth, sob pena de ser atormentado pelos deuses para sempre.

Eles vão juntos até o palácio e revelam tudo ao imperador. Para não jogá-lo na prisão nem condená-lo à morte, os sacerdotes aconselham Montezuma a bani-lo do Império, para evitar que o castigo dos deuses, que não demorará a chegar, recaia sobre a família do imperador.

Yuma, então, é levado para a Sierra de la Muerte e deixado lá com alimentos e água para quatro dias, entregue à própria sorte. É impossível sair de lá sozinho. Ele vai morrer em uma semana, se não for atacado por algum animal antes. Talvez se jogue no precipício.

O lugar é muito, muito quente. A pouca vegetação é rasteira e, portanto, não há sombra. A pele chega a crepitar de calor. Essa reclusão faz Yuma sentir o peso de sua deslealdade para com Yareth. Arrepende-se profundamente e percebe o quanto a influência de seu pai havia interferido em sua personalidade, seus relacionamentos, seus atos. Permanece em jejum e em reflexão, percebendo que agiu muito mal durante sua vida toda. Reconhece, com uma dor imensa, que arruinou a vida de Yareth e de sua família.

Nesse momento, sem vitalidade, Yuma me chama, desejando partir definitivamente. Não deseja mais viver. Dirijo-me a ele e me coloco diante do rapaz para recolhê-lo. Observo que ele ainda agoniza. Tenho de aguardar seu último suspiro. O dia finda. Afasto-me um pouco. Daqui do alto do penhasco a vista é linda.

YUMA

O pôr do sol pinta de vermelho os paredões, tal qual o sangue que nos é ofertado em sacrifício. Volto àquele corpo quase inerte. Ele ainda respira. Vejo que sofre. A noite começa a se debruçar e ele não se liberta do corpo. Não posso levá-lo ainda. Seu espírito tem de se desprender por completo para fazer a travessia. Espero… espero… espero. Quando a lua começa a surgir no horizonte, alaranjada e disforme, um vento quente lufa em nossa direção. Sinto que as rochas vibram. Reconheço os sinais. É a chegada do deus Quetzalcoatl.

Seu formato é o de um "pássaro serpente", e é a principal divindade entre nós. Representa a vida, a vegetação, os alimentos e a força espiritual existente nos indivíduos. Também representa o planeta Vênus. Suas asas são tão imponentes que, se não fosse noite, elas bastariam para escurecer o lugar. Faço uma reverência a Quetzalcoatl em sinal de respeito. Nesse momento, o coração de Yuma para de bater. E antes que eu consiga recolher sua alma, Quetzalcoatl se aproxima de Yuma, o toca e me diz:

— Deixe-o, Finith. A hora dele ainda não chegou. Diferente do pai, ele pode se tornar uma outra pessoa. Não irá recuperar os laços que por ele mesmo foram destruídos. Mas se souber cultivar bons valores, poderá construir novos.

Yuma vê Quetzalcoatl em seu subconsciente e conversa com ele nesse submundo.

— A morte para você seria um prêmio — diz Quetzalcoatl. — Você terá a oportunidade de recomeçar, uma chance dada a poucos. Mas, em troca, vai experimentar o desprezo, o julgamento, os olhares de reprovação, o abandono.

— Então, eu nunca serei perdoado? — pergunta Yuma.

— Perdoar não é o mesmo que recompor o que foi quebrado. Você terá de construir novas relações de confiança. Isso leva tempo. Algumas estarão quebradas para sempre, outras poderão ser restauradas. E uma vez construídas, precisam ser renovadas todos os dias com as suas ações.

— Mas essa demora vai me causar muita angústia.

— Aprender a lidar com as angústias faz parte da vida, Yuma.

— Foi o que meu pai fez de mim que me arruinou.

— Não importa o que fizeram de você. O que importa é o que você fará com o que fizeram de você. Não passe para frente só porque você aprendeu assim. Assumir o papel de vítima não o leva a lugar nenhum. Só faz de você um derrotado. E se você pensa que é um derrotado, você será um.

— E como as pessoas vão saber que podem confiar em mim?

— Chega um momento na vida em que percebemos quem é imprescindível, quem nunca foi e quem já foi e não é mais. São as atitudes que revelam o homem, não as palavras.

— Yareth vai voltar a confiar em mim?

— Esse elo você não consegue unir mais. Porém, tudo o que você faz deixa nas pessoas uma imagem sua. Com qualquer um, tenha atitudes nobres.

O deus da vida sopra na boca de Yuma, que inspira profundamente. Abre os olhos, olha à sua volta e reconhece o lago Hauatl. Não compreende como foi parar ali, mas tem a sensação de ter sonhado com o Quetzalcoatl. Sente em seu coração que precisa retornar ao palácio.

Ao chegar lá, o Conselho o recebe por acreditar que os deuses o pouparam, mas Montezuma ordena que ele seja levado à prisão. Porém, antes de ser levado ao cárcere, Yuma revela ao imperador que há uma sala secreta no palácio onde está escondida uma fortuna. Bens desviados do Império, valores extorquidos dos comerciantes e metais preciosos extraídos sigilosamente. Quando chegam à sala, há um grande tesouro escondido, e entre os artigos, o Códice das Ideias e o anel sagrado furtados por Tonauach.

Finalmente, Ollin poderá ser empossado como escriba. Por Yuma ter demonstrado querer mudar de verdade sua vida, Montezuma anula sua pena, mas retira seu título de nobreza, o que o torna um homem comum. O imperador autoriza Yuma a visitar Yari e seu irmão Téo, mas terá de tocar sua vida sozinho.

Macui não nega a Yari a convivência com Téo, apesar de ser o pai biológico dele, porque pensa no bem-estar dele mais do que no próprio. Decidem agir da mesma forma com Elitza. Yuma vai embora de Huacán. Do alto de um penhasco, olha para a cidade e sente que toda sua vida lhe foi tomada, então promete a si mesmo que vai voltar.

◀——《 · 》——▶

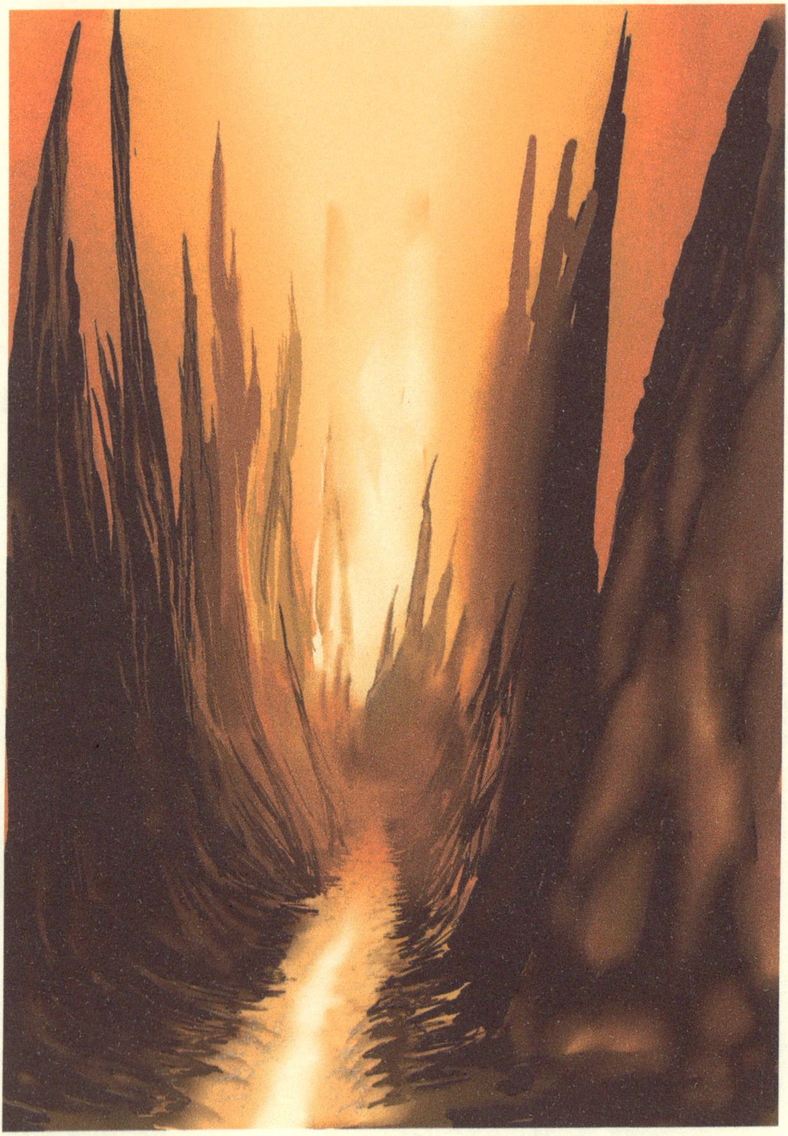

DIAS DE GLÓRIA

Elitza está recuperada e fora de perigo. Os cuidados que recebeu já permitem sua volta a Huacán. Yareth vai buscá-la no vilarejo e conta sobre a morte de Tonauach. Elitza se lembra apenas do momento em que estava sendo vestida no castelo. Lamenta a morte de seu pai biológico sem que ele tivesse experimentado as boas virtudes da vida e pondera que foi esse o caminho que Tonauach escolheu. Yareth convida Mamaué a retornar a Huacán com todos do vilarejo, já que não existem mais motivos para viverem escondidos. Ela, porém, lhe diz que todos estão felizes ali.

No palácio, todos se preparam para a posse de Ollin como escriba. Tudo está enfeitado como nunca antes visto, cada banca do comércio central, cada rua, cada casa. As pessoas sorriem e circulam livres, sem o temor de serem acorrentadas por um motivo banal.

As batalhas ainda acontecem, assim como os sacrifícios humanos, que tingem os degraus da Pirâmide do Sol. As pessoas continuam enterrando e cultuando seus mortos e acreditando nos mundos que não podem ver, mas que sabem que são habitados por espíritos. Tudo isso reflete na vida delas, nos objetos, nas roupas, na aparência, no comportamento. Veja só a festividade de hoje! Não há um só entre os comuns ou nobres que não esteja em júbilo. O Códice das Ideias ficou trancado por quase vinte anos, sem que pudessem ser grafados nele os conhecimentos necessários ao desenvolvimento intelectual, físico e espiritual dos comuns. Tonauach não pensou no coletivo, só em si mesmo.

O grande pátio do palácio está aglomerado e pessoas se acotovelam além dos muros. Há um mar de gente para celebrar o evento. Montezuma está ladeado por seus sacerdotes, encabeçados por Malec. Enquanto o códice e o anel sagrado são apresentados, ele diz para todos os presentes:

— Neste mesmo lugar, há quase vinte anos, um homem que se empenhou bravamente e venceu com determinação e coragem todas as provas foi privado de servir a Huacán. Não foi apenas ele que sofreu um golpe, todos sofremos. O códice e o anel, agora recuperados, irão para as mãos daquele que é digno da função de escriba. Ollin, se aproxime.

O artesão se aproxima e se ajoelha diante de Montezuma, que toca com a espada em sua cabeça e diz:

— Eu, Montezuma, imperador de Huacán, poderoso líder deste povo e dos quatro cantos deste lugar, invoco aos deuses da sabedoria, da prosperidade e da paz que o tornem escriba das ideias de Huacán.

Quando Ollin se levanta, o imperador continua:

— Tem mais uma coisa. Eu o nomeio sacerdote honorário do Conselho, e você e seus descendentes agora fazem parte da nobreza deste Império, podendo ocupar estas dependências quando quiserem.

O povo vibra.

— Yareth, se aproxime — diz o soberano, colocando a espada sobre seu ombro. — Ajoelhe-se. Eu, Montezuma, imperador de Huacán, poderoso líder deste povo e dos quatro cantos deste lugar, nomeio você, Yareth, militar-chefe do palácio. Você deve jurar exercer suas funções com honra e dignidade, usando da sua posição única e exclusivamente para o bem do povo e a segurança do Império.

— Eu juro! — brada Yareth.

A multidão aclama o novo chefe dos militares e Malec emenda:

— Hoje, finalmente, restabelecemos a harmonia do nosso povo. Mas Huacán foi privada do conhecimento por quase duas décadas, enquanto o Códice das Ideias estava desaparecido.

Nesse momento, Ollin o interrompe:

— Talvez não, respeitável Malec — ele aponta para um baú. — Todos esses anos eu tomei nota de tudo o que era necessário, como se estivesse registrando no próprio códice. A única pessoa que sabia disso era minha amada Donaji, que colaborou, inclusive, com minhas pesquisas. Tive de manter tudo escondido para não despertar a ira do meu inimigo, mas também privei todos desse saber. Se me autorizarem, essas anotações serão parte integrante do Códice das Ideias.

Os sacerdotes confabulam rapidamente e concluem que esse é um grande ganho para Huacán.

Quando Montezuma recebe de Malec o códice e o anel, no momento de investir Ollin em sua missão, pede a todos um momento de silêncio:

— Todos sabemos dos infortúnios a que nosso povo foi submetido pelas ações de um homem sem escrúpulos que somente enxergava a si mesmo. Hoje entendemos o quanto sua inveja destruiu vidas, aniquilou pessoas, e é nosso dever evitar que isso se perpetue. Elitza, entregue o códice a Ollin e coloque nele o anel sagrado.

Ecoam gritos de festejos.

Com esse gesto simbólico, o Império abre caminho para que mulheres tenham uma participação mais efetiva na sociedade e recebam um tratamento mais respeitoso.

A festa avança pela noite e Ollin pensa em Donaji. Todos os dias ele escreve para ela. A morte somente os separou fisicamente. Os dois permanecem intimamente ligados. As células de Ollin foram definitivamente modificadas com a presença daquela mulher em sua vida. Ele a reconhece em seus próprios movimentos. Pode senti-la em sua pele, em seu coração. Ollin e os filhos decidem permanecer morando na mesma casa. Sentem que ali suas vidas fazem mais sentido.

◆―《・》―◆

Quando Yareth acorda pela manhã, encontra o pai sentado no jardim ao lado da sepultura de Donaji. Sobre a cova nasceram flores de Nictexa, e em mais nenhum outro lugar de Huacán as flores negras foram encontradas.

MONTZUMA

OBRAS E AUTORES REFERENCIADOS NA HISTÓRIA

ALBUQUERQUE, Jamil. *A filosofia do sucesso*. São Paulo: Companhia Editora Nacional, 2015.

ANDRADE, Carlos Drummond de. *O avesso das coisas*: aforismos. 2. ed. Rio de Janeiro: Record, 1990.

ARISTÓTELES. *Ética a Nicômaco*. Trad. Vicenzo Cocco. São Paulo: Abril Cultural, 1984. (Coleção Os Pensadores.)

DOSTOIÉVSKI, Fiódor. *Crime e castigo*. 3. ed. São Paulo: Martin Claret, 2021.

EPICURO. *Manual de Epicteto*: a arte de viver melhor. Trad. Edson Bini. São Paulo: Edipro, 2021.

MAQUIAVEL. Edições Silabo, 2007

NIETZSCHE, Friedrich. *Além do bem e do mal*. Trad. Márcio Pugliesi. São Paulo: Hemus, 2001.

NIETZSCHE, Friedrich. *O anticristo e ditirambos de Dionísio*. São Paulo: Companhia das Letras, 2007.

PLATÃO. *A República*. 3. ed. São Paulo: Edipro, 2019.

SARTRE, Jean-Paul. *O ser e o nada*. 24. ed. Petrópolis: Vozes, 2015.

SCHOPENHAUER, Arthur. *Aforismos para a sabedoria de vida*. Trad. Jair Barbosa. São Paulo: Martins Fontes, 2017.

SCHOPENHAUER, Arthur. *Dores do mundo*. Trad. José Souza de Oliveira. São Paulo: Edipro, 2018.

YOUSAFZAI, Malala. *Discurso da ONU*. Nova York, 12 jul. 2013.

Esta obra foi composta em Minion Pro 11,5 pt e impressa em
papel Pólen soft 80 g/m² pela gráfica Meta.

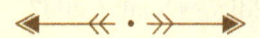